GINETTE RAVEL
je vis mon alcoolisme

LES EDITIONS QUEBECOR
225 est, rue Roy
Montréal, Qué. H2W 2N6
Tél: (514) 282-9600

Distribué par:
LES MESSAGERIES DYNAMIQUES INC.
775, boul. Lebeau
Ville Saint-Laurent, Qué. H4N 1S5
Tél: (514) 332-0680

Maquette de la couverture:
Productions J.L.M. Inc.

© LES EDITIONS QUEBECOR
Dépôts légaux: deuxième trimestre 1978
Bibliothèque nationale du Québec
Bibliothèque nationale du Canada
ISBN 0-88617-006-0

GINETTE RAVEL

je vis mon alcoolisme

EDITIONS

Quebecor

A MON FILS PASCAL
A MES AMIS
PAUL DE MARGERIE
FRANK DERVIEUX
JACKIE DUROSEAU

MERCI de m'aimer d'Où vous êtes...

JE SUIS UNE GRANDE AMOUREUSE...

*Je suis amoureuse de toi, de lui, de la colombe qui ouvre
l'aile pour s'envoler, de la vague qui vient se briser sur le
rocher...*
Mes yeux se sont ouverts et je regarde...
Mon coeur n'est plus à moi, il est à tous...
*Je vibre jusqu'au plus profond de mon être, je vis mes
émotions jusqu'à leur limite...*
Je prends conscience que tout vient de l'intérieur.
Le temps et l'espace n'existent pas...

*«Etre artiste, c'est ne pas compter. Un an ne compte pas.
Dix années ne sont rien. C'est croître comme l'arbre qui ne
presse pas sa sève, qui résiste confiant aux grands vents
du printemps, certain que l'été viendra. L'été vient. Mais il
ne vient que pour ceux qui savent attendre, attentifs et
ouverts, comme s'ils avaient devant eux l'éternité. Je
l'apprends au prix de souffrances que je bénis chaque jour.
Patience est tout.»*
«Rainer Maria Rilke»

J'suis un mélange d'hiver été
Je me ramasse d'la tête aux pieds
A m'balancer sur les saisons
A m'balancer entr' nos maisons
J'suis un mélange d'été hiver
Je prends demain pour hier

J'suis moité ange moitié démon
J'aime l'amour à ma façon
J'suis un mélange d'hiver été
Je n'vois pas l'jour de m'retrouver
Je tourne d'allure comme vire le vent
Je n'ai pas l'temps d'attendre longtemps
J'suis un mélange d'été hiver
Les vieux pays meublent ma jeunesse
J'vois mon avenir tout brodé d'neuf
Les amours viennent et disparaissent
J'suis un mélange d'hiver été
Capable de r'composer le monde
Le refarder pour une journée
J'craque pour un rien le lendemain
J'suis un mélange d'été hiver
Ne m'prends pas pour c'que j'suis pas
Descends-moi de mon piédestal
Aime-moi simplement comme je suis: HIVER ETE...

Je suis née le 6 octobre 1940, un dimanche, alors que les cloches de l'église de Joliette annonçaient à pleine volée la grand-messe. Je ne sais si je dois voir là un signe du destin, l'annonce d'une carrière musicale. En tout cas, ce ne fut pas celle d'une vocation religieuse, du moins je fus longtemps à le croire. Tout le temps que je fus jeune, le couvent ne m'attira pas, même si, à cette époque, tout un romantisme, tout un lyrisme entraînait plusieurs filles à s'y cloîtrer. On leur avait montré la rose à l'entrée, elles n'en découvraient les épines qu'en refermant la porte derrière elles, et sur leurs rêves. C'est du moins ce que j'ai longtemps pensé, jusqu'à ce que la vocation religieuse m'apparaisse sous un jour nouveau. Et je dois avouer qu'aujourd'hui, je me demande souvent si je ne finirai pas mes jours au couvent et même, aussi paradoxal que cela puisse paraître pour une chanteuse et pour une femme publique, chez les Carmélites, un ordre où le silence et la réclusion sont la règle. Mais même si, à cette époque, la religion ne m'attirait guère, je me demande encore si le carillon qui salua ma naissance ne me prédestinait pas à la vie religieuse. Car peut-être le métier de chanteuse est-il plus religieux qu'on est porté à le croire en général. La chanson populaire est un art qui, s'il est pratiqué avec sincérité et amour, a quelque chose de sacré, même s'il paraît profane et mondain, même si on le dit moins sérieux que la grande musique, dont la grandeur ne nous épargne pas toujours l'ennui. Chanter est un peu une sorte de sacerdoce. En chantant, on officie, on célèbre la vie et l'amour. Et chanter est parfois aussi un chemin de croix.

Lorsque je repense à ma vie passée, je vois bien, je sens bien que mes errances, mes aventures en apparence les plus frivoles ne furent toutes que les visages divers d'une même quête, d'une quête unique. D'une quête qui, même si elle aura paru à certains libertine, voire immorale, n'en fut pas moins noble, religieuse: celle de l'Amour, de l'Autre, du Bonheur. Est-il recherche plus noble? Est-il, d'ailleurs, au fond, une autre recherche que celle-là? En tout cas, à travers mes plaisirs, mes souffrances, mes espérances et mes désespérances, lorsque j'essaie de départager le blé de l'ivraie, je reste impuissante, et le jour à la nuit se confond. Et si c'est se présenter devant un tribunal que de raconter sa vie, qu'un autre que moi me jette la première pierre.

C'est donc par une matinée d'automne que je vins au monde. Je ne sais trop si je dois dire qu'en ce jour ma mère me fit don de la vie ou, comme Chateaubriand, me l'infligea. Je ne sais, ou plutôt je n'ai pas su avant longtemps car ce n'est que sur le tard que j'ai pu retrouver le fil d'Ariane pour échapper au labyrinthe de ma vie. Car une vie dont on a perdu le sens est un véritable labyrinthe, et la découverte que j'allais faire est un fil d'Ariane.

Musset a dit quelque part que si profonde est la première tache dans l'âme d'un enfant que l'eau de la mer entière y passerait qu'elle ne saurait la laver. Comparaison qui, dans mon cas, a quelque chose de troublant, si je pense à toute l'eau dont j'ai voulu me «laver»... pour oublier. Mais quelle est donc cette tache dont la marque fut si profonde et que je crus si longtemps indélébile? Fut-ce simplement de naître? Et ma seule faute fut-elle de vivre? Ou bien fut-ce d'avoir été mal aimée à cet âge qu'on dit tendre où, justement, le manque de tendresse est si cruel, où la chair est si sensible, où la haine la mieux dissimulée est vivement ressentie, où il n'est nul mensonge, nulle comédie qui ne tienne? Qui sait les sentiments qui président à la naissance d'un enfant? Et cet être que, singulièrement, on appelle un rejeton, n'a-t-il pas justement été rejeté dès le départ? Qui pourra estimer les ravages de l'absence d'amour?

J'ai peu de souvenirs de mon enfance, mais ceux que je garde sont très vifs, et souvent aussi très douloureux. C'est dans la lumière crue du grand midi que je me revois à trois ans. Nous habitions tout près des frontières des Etats-Unis. Je titubais sur le parterre de la maison, une bouteille de Castoria à la main, ivre. Quel mal tentais-je de guérir avec cet inefficace remède? S'il est vrai que l'homme est déchu, peut-être voulais-je retrouver, grâce à l'ivresse, l'extase de cet état avant la chute? Ou peut-être simplement voulais-je imiter mon père qui, comme un lac d'automne à l'aube, était souvent brumeux, dans les «vaps». A l'aube, car il lui arrivait souvent de faire ses ablutions matinales et de se gargariser avec une eau bien particulière. Sans doute est-ce l'instinct le plus naturel chez un enfant que d'imiter ses parents. Et l'exemple est probablement le meilleur maître, ou le pire, selon ce qu'il enseigne. Mais il sert aussi parfois de repoussoir. Et nombreux sont ceux qui, devant un exemple si peu édifiant, se fussent abstenus de toucher à un verre d'alcool pendant toute leur vie. Mais, pour moi, la question ne se posa pas, la pente me fut trop douce, et je ne me souviens pas d'y avoir jamais résister, du moins à cette époque. Boire me fut aussi naturel, que pour d'autres enfants, jouer à la balle.

Bien prématurément, je connus ce qui ressemblait à une première désintoxication. Je me revois, avec une clarté hallucinante, assise sur le petit pot, à boire du lait chaud, de ce lait dont j'aurais dû me contenter. Et, pour la première fois, j'eus la félicité de voir ma mère s'occuper de moi toute une nuit. Etait-ce cette tendresse inespérée que j'avais voulu provoquer? Et ma crise avait-elle été volontaire? Je ne saurais dire, mais je saurais dire, par contre, la douceur des caresses enfin prodiguées. Fut-ce parce que leur récolte fut si maigre que, plus tard, je recherchai si avidement l'amour, si désespérément?

Mon mal progressa rapidement, tant il est vrai qu'il est facile de suivre sa pente lorsqu'elle descend. A cinq ans, j'avais déjà pris goût à l'alcool, j'en aimais la saveur, et l'effet. J'avais déjà hâte au Jour de l'An, jour où j'aurais dû prendre de bonnes résolutions mais que j'attendais parce que je savais que mon grand-père, en cachette des grandes personnes, allait me laisser boire du vin Saint-Georges: mes goûts s'étaient sophistiqués avec le temps.

J'ai des souvenirs plus tristes encore. Je revois mon petit

frère Gilles, parti prématurément, allongé dans un cercueil blanc qui, bien qu'il fût très petit, m'apparaissait à l'époque très grand, immense même, à la mesure du chagrin que son départ inattendu m'avait infligé. Pourtant, j'aurais eu des raisons d'être indifférente à sa mort, voire de m'en réjouir. J'aurais eu raison de le jalouser, d'envier l'admiration que mes parents lui vouaient. Combien de fois n'avait-on vanté en ma présence son talent précoce, à côté duquel mes modestes tentatives ne semblaient que des balbutiements? A trois ans, aux coins des rues, il improvisait des spectacles avec la grâce innocente de son âge, il dansait des pas inconnus, il chantait des airs inédits, à l'ébahissement des passants.

Lorsque je songe à la soif de gloire que je connus plus tard, à mon désir de popularité qui, à l'occasion, n'hésita pas devant le risque du scandale, je me demande si, plus ou moins consciemment, ce ne sont pas les faveurs que mon frère tant adulé avait reçues que je recherchais à travers l'admiration publique. Mais lorsque, agenouillée près du petit cercueil de bois, je tenais sa main exsangue et froide et que, innocemment, et croyant en l'efficacité de mes paroles, je le suppliais de venir jouer avec moi, il me semble qu'était complètement absente de moi toute jalousie. Et lorsque, à la dérobée, je réussis à lui ravir un dernier baiser, la poudre qui me resta sur les lèvres me laissa dans l'âme un goût bien amer. Dans les lueurs naissantes de ma conscience, pour la première fois, je comprenais qu'il était mort, que jamais plus il ne jouerait avec moi, que les paroles que je lui avais murmurées n'avaient de sens que pour moi.

Dans l'inconsistante irréalité d'un rêve, je me revois avec mon père, qui était à moitié ivre, hilare, en compagnie de sa belle Lola en or, une de ses nombreuses conquêtes. Ce n'était pas, du reste, la première fois qu'il m'entraînait dans ses escapades frivoles. Je ne sais trop à quel âge se forme dans la tête d'un enfant la conscience du bien et du mal, quand prend naissance le jugement moral. Ce que je sais, c'est que, sourdement, je réprouvais la conduite de mon père. Je la condamnais, non pas à la manière d'un juge impartial et indifférent à la cause à laquelle il préside, mais à la manière de quelqu'un de lésé. Je ressentais ses infidélités comme une trahison. Et j'en étais profondément affligée. C'était l'image d'un amour idéal pour ma mère qui s'effondrait. Et, à travers cet effondrement, c'est l'amour qu'il était censé me porter qui était atteint. Mais aujourd'hui, je ne l'accuse de rien. J'ai été trop longtemps juge et partie pour pouvoir juger. Par contre, s'il est vrai qu'on hérite des traits de caractère comme des attributs physiques, je sais à qui je dois mon indomptable goût de l'aventure.

L'AVENTURE

Ton coeur est dur et froid
Comme le chêne est droit
Mais ton corps vieillit
Le bouleau aussi
Il penche sous ma fenêtre
Pourquoi t'ai-je dans la tête
L'aventure, c'était toi
L'aventure, c'était froid

Ton visage n'est pas nature
Tu as les yeux pervers
Tes cheveux deviennent gris
Le bouleau aussi
Mais lui redeviendra vert
Tu n'es pas mature
L'aventure, c'était toi
L'aventure, c'était froid

Ton humeur est changeante
Ta peau te ressemble
Ta vie est finie
Le lilas aussi
Ce n'est plus sa saison
Et tu lui ressembles
L'aventure, c'était toi
L'aventure, c'était MOI...

C'est à 5 ans 11 mois que j'entrai à l'école. Nous étions revenus à Joliette, rue Montcalm, à deux pas du couvent des Dames de la Congrégation. Tous les matins, ma mère se levait très tôt pour me préparer à mes cours. Elle avait la déplorable certitude qu'il me fallait m'y présenter bien mise, ce qui revenait à peu près à dire, bien coiffée. J'appréciais les attentions que ma mère me portait alors, la tendresse qu'elle me témoignait, mais la longue séance de coiffure qu'elle m'imposait m'était difficilement supportable. Sans doute, mon cuir chevelu était-il sensible plus qu'il ne se doit, ou, dans ma vivacité primesautière de fillette, pouvais-je mal accepter de rester longtemps assise, mais les tire-bouchons dont m'affublait ma mère et qui étaient très à la mode me tiraient presque des larmes des yeux. Pourtant, lorsque je repense à ce temps, il m'arrive de le regretter, de regretter ces tire-bouchons qui me furent si douloureux. C'est que, avec ma tête prématurément atteinte par la marque de l'automne de la vie, le contraste est si fort avec cette époque, que la fuite du temps, d'habitude si insaisissable, devient tangible comme le cahier sur lequel je consigne les événements de ma vie passée. Quand la coiffure était enfin terminée, venait la robe, dont il me fallait souvent subir l'affreux collet romain, véritable carcan qui annonçait tristement celui que pendant des heures nous allions devoir porter à l'école, où les méthodes d'enseignement n'étaient malheureusement pas ce qu'elles sont devenues aujourd'hui.

A l'école, j'excellais dans toutes les matières, non pas que je fus acharnée à l'étude, mais j'avais de la facilité. Mais dès le début, il me sembla vaguement que les notions qu'on tentait de m'inculquer étaient inutiles, ne m'étaient pas nécessaires, ou en tout cas ne me servirait guère pour réaliser les rêves dont ma tête de fillette était déjà lourde. C'est qu'à cette époque, je suivais déjà des leçons de piano. Et autant l'école m'indifférait, autant la musique me transportait. Je chantais aussi. Et ma mère me raconte souvent qu'un dimanche, invitée par mon professeur à m'entendre, elle avait versé des larmes en m'écoutant chanter au piano. Etait-ce d'émotion devant la mélancolie de l'air que j'exécutai? Ou bien de joie devant les premières manifestations d'une vocation artistique? Ou encore de tristesse, en entrevoyant vaguement que c'était là ma voie, et que cette voie, du moins selon elle, était semée d'embûches et d'incertitudes, d'illusions et de déceptions? Quelle mère, même aujourd'hui, n'est pas inquiète, lorsqu'elle n'est pas carrément contrariée, de voir sa fille aspirer à une carrière artistique où les caprices du destin sont si déterminants, où les lendemains sont incertains, où, après la pluie, ne vient pas toujours le beau temps?

Au cours de ma deuxième année scolaire, par une très belle matinée ensoleillée qui ne semblait présager rien de malheureux, survint un événement qui allait bouleverser, du moins pendant plus d'un an, la relative tranquilité de notre vie familiale. Deux hommes de noir vêtus, imperméables aux collets montés et chapeaux enfoncés, vinrent nous ravir celui qui, malgré ses frasques et ses escapades, n'en demeurait pas moins le pilier de la famille: notre père. L'ignorance dans laquelle ma mère s'efforça de nous garder ne me permit de savoir que bien plus tard qu'il s'agissait de deux détectives. Par la suite, on me rapporta, sans que jamais je ne pus en vérifier l'authenticité, que c'était pour trafic de cigarettes américaines que mon père avait été appréhendé. A ce moment, je ne pus m'empêcher, dans ma logique d'enfant encore mal formée, de faire un rapprochement dont je ne sus jamais s'il était juste. Je revis, dans une clarté douloureuse, une scène bruyante et bouleversante qui, la nuit précédente, m'avait éveillée. Je revis mon père entrer, vers trois heures du matin, éméché sans doute, en tout cas titubant et vociférant, le visage maculé de sang.

Ce que, par ailleurs, on sut rapidement au sujet de l'arrestation de mon père, c'est qu'elle allait donner lieu à une condamnation de deux ans d'emprisonnement. Peine qu'il ne purgea cependant pas en entier: au bout d'un an et demi, il fut remis en liberté pour bonne conduite. Mais entre temps, beaucoup de choses avaient changé. Privée de mon père, la famille connut une situation très vite difficile. Incapables de continuer à payer le loyer, nous dûmes déménager. C'est mon grand-père maternel qui nous tira d'embarras en nous offrant une petite cambuse à deux milles de chez lui, Rang Tolano, à Saint-Thomas de Joliette. Ce fut là notre refuge, refuge bien précaire, et qui, malgré la modestie de l'appartement que nous quittions, nous parut à tous, à moi la première, fort délabré.

Cette «cambuse» ne fut pas pour moi un véritable refuge. Je ne m'y plaisais pas. S'il est des maisons hantées, elle en fut une sans doute par le fantôme de mon père, pour ainsi dire mort. En tout cas, j'y passais le moins de temps possible. J'y dormais, j'y mangeais. Dès que je pouvais, j'en sortais. De l'autre côté du chemin, je m'étais fait un ami, un énorme saule aux branches magnifiquement éployées, à qui je confiais mes chagrins et mes désespoirs, mes espérances aussi, quoique à cette époque plutôt sombre, elles étaient rares.

A la maison, avec les difficultés matérielles croissantes que nous connaissions, ma mère s'aigrissait, sa susceptibilité devenait telle qu'elle ne supportait pas le moindre écart de conduite. Et même, sans doute, en imaginait-elle pour donner libre cours à sa hargne. Je recevais souvent de sa main la «strappe», avec ou sans raison. La dernière fois qu'elle m'infligea ce châtiment aussi douloureux qu'humiliant, j'avais treize ou quatorze ans. J'avais lavé le dernier-né Serge. Et, soit que je lui eusse mis du savon dans les yeux, soit que, délibérément ou involontairement, je lui eusse fait mal, je reçus la «strappe». Mais, malgré ma douleur et la colère sourde qui m'emplissait le coeur, je me taisais. J'observais un silence stoïque. Et plus ma mère s'acharnait, plus son bras s'abattait lourdement, plus je me disais: non, tu ne pleureras pas. Ma mère, irritée par mon stoïcisme et le prenant pour de la bravade, me frappa avec plus d'énergie. Mais bientôt, l'aspect de mes mollets tuméfiés l'effraya et elle se ressaisit. Silencieuse et comme gonflée d'un remords qu'elle n'osait exprimer et que seule une nervosité incontrolable trahissait, ma mère me renvoya. Je ne pleurais toujours pas. Mais lorsque je me retrouvai seule, je ne pus m'empêcher d'éclater en sanglots, non pas de douleur, malgré l'enflure et l'irritation persistante de mes jambes, mais de révolte. Je ne me révoltais pas contre ma mère ou contre l'injustice que je venais de subir. Je me révoltais contre le monde entier, contre la vie qui permettait que de telles injustices aient lieu. Je ne comprenais pas. La vie, dans ces instants, me semblait un cauchemar insensé. Quoique ou parce que je ne m'étais pas plainte, ce fut la dernière fois que ma mère me battit. Peut-être avait-elle eu peur d'être allée trop loin. Peut-être qu'à quatorze ans, j'étais devenue maintenant trop âgée pour subir des vexations physiques, et me réservait-elle, pour l'avenir, des châtiments moraux.

Au cours des longues et froides soirées d'hiver, ma soeur et moi, souvent, nous aidions maman à fabriquer des fleurs en papier crêpé. Elle en faisait ensuite de petits paniers qu'elle allait vendre au marché Bonsecours, le samedi matin, pour arriver à joindre les deux bouts, car mon père buvait presque toutes ses payes. Cependant, sans vivre dans le luxe, nous ne manquions de rien. Enfin, nous avions le nécessaire. Le matin, le jus d'orange était rare; et le boeuf haché était au menu quotidien.

Je fis ma communion solennelle en même temps que ma soeur Claudette faisait sa première communion. Nos petites robes blanches, que ma mère avait elle-même confectionnées, étaient identiques. Ce fut pour moi la source d'une grande humiliation. Dans mon orgueil de fillette, j'étais tout insultée que ma soeur de cinq ans ma cadette portât une robe pareille à la mienne.

> Je suis venue de l'espace
> Déposée sur cette planète
> Par un être gigantesque
> Je n'avais pas tout à fait d'aspect
> Je n'avais pas vraiment de grâce
> On m'avait réservé une place
> Non loin du coeur de cet espèce
> Qu'on nomme les «Mal Aimés»
>
> Je n'avais pas de nom
> Pas de coeur et pas d'âme
> Au dire de ceux qui m'entouraient
> J'ai grandi dans cette ambiance
> Où on en connaît pas les mots
> Amour, tendresse, le mot caresse
> J'ai tout d'suite été de cette espèce
> Qu'on nomme les «Mal Aimés»
>
> Maintenant que je réalise
> Que je ne suis pas une infirme
> Pas une vicieuse, une mal-appris
> Qu'on m'a baptisée bien malgré moi
> Je reprends dès aujourd'hui
> Possession de mon identité
> Et j'écris sur mon coeur, ce nom:
> FELICITE

L'école, si elle est généralement ennuyeuse, a ceci d'agréable qu'elle permet les vacances. Et, à vrai dire, je dois mes plus beaux souvenirs d'enfance à mes grandes vacances d'été. J'en passai plusieurs chez mes grands-parents. J'y fus, pendant des journées complètes, pleinement heureuse. Je me levais à l'aube, et j'étais heureuse. Je me promenais simplement dans les champs, et j'étais heureuse. Je buvais à l'eau vive du ruisseau, et j'étais heureuse. Je me couchais le soir, la tête ivre de vent et de visions champêtres, et j'étais heureuse. Heureuse d'emporter dans mes rêves ces merveilleux cerisiers et ces abondants framboisiers qui foisonnaient dans les clairières et dont les fruits avaient été les délices de mes haltes. Heureuse d'emporter l'immensité des blés d'or, l'immensité du bleu de l'été, l'immensité de la vie.

Depuis ce temps, j'aime la vie champêtre, sa simplicité, son harmonie avec la nature, le bon pain gagné à la sueur de son front. Et toujours je me rappellerai l'odeur du poêle à bois, de la lampe à l'huile, le tic tac de la vieille horloge, le chant des cigales au soir, qui est une musique bien simple, mais était pour moi la symphonie la plus douce, la plus délicieuse. Mais malheureusement, ces moments furent brefs, comme si la vie, malicieusement, s'efforçait de nous faire sentir plus cruellement le malheur de l'existence en nous accordant quelques instants de bonheur. Instants qui sont comme des gouttes d'eau bien vite séchées dans l'aridité de la vie. Quand j'eus dix ans, mes parents, craignant l'ardeur précoce des jeunes paysans et celle prétendument dangeureuse des hommes d'âge mûr, statuèrent que j'étais désormais trop vieille pour aller à la campagne, qu'il y avait du danger pour moi. Décision qui, longtemps, me parut incompréhensible et que j'attribuai à une inexplicable jalousie de mes parents, une sorte d'envie, comme si, ayant pressenti le bonheur que je goûtais à la vie champêtre, ils eussent voulu à dessein m'en priver, parce que le bonheur des autres, fussent-ils ses propres enfants, est insupportable, tant il est rare.

En cessant d'aller à la campagne pour les vacances estivales, je cessai aussi de voir mon grand-père, ou en tout cas je ne pus le voir aussi souvent. J'y étais très attachée. Et je crois que cet attachement était réciproque. Peut-être parce que, sur le point de quitter la vie, les vieux comprennent mieux ceux qui y entrent, peut-être parce que leur relatif détachement des choses de ce monde leur permet de comprendre l'insouciance enfantine qui, si souvent, pèse aux gens raisonnables, mon grand-père me comprenait. Notre entente se passait d'ailleurs de mots. Et lorsque nous devions parler, parler à demi-mots nous suffisait. Je sentais en lui un génie bienveillant et protecteur. Génie dont la puissance n'était pas purement abstraite car lorsque je me réfugiais derrière ses grosses culottes, la protection que j'y trouvais était bien tangible. Mon père le respectait, le craignait même, sans doute, et son regard sévère et péremptoire le paralysait lorsque, ayant bu, et sous prétexte de quelque peccadille, il prétendait nous éduquer en se déchargeant de sa mauvaise humeur et de ses déboires.

GRAND-PERE

Mon grand-père à moi,
J'aime me souvenir de toi,
Au coup de blanc que tu prenais
A la cachette de grand-maman,
Au chausson que tu remplissais
A Noël ou au Jour de L'An...
Avec toi l'hiver passait
Et je n'avais pas froid
Tu me racontais n'importe quoi
Ta récolte de tabac
Ou la senteur des bois...
J'aimais bien travailler pour toi
A la saison du tabac
Je faisais mes journées d'enfant
Et tu me payais un salaire de grand

Tu te souviens?
Quand tu faisais fâcher grand-mère
Pour me faire rire...
Fronçant les moustaches, elle marmonnait
Un «Vieux Snoro», ou quelque chose de pire
J'attendais avec impatience
Les jours de marché
Tout en sachant à l'avance
Que tu m'avais rapporté
Ma tresse de bananes
J'adorais les bananes...

Si j'avais peur
Tu me prenais entre tes bras

Si j'avais mal
Tu me donnais de ta tisane à toi...

Grand-Père
Mon grand-père à moi
Je t'aime...

En septembre 1947, j'entrai chez les soeurs de la Providence, à l'Orphelinat St-Eusèbe, à Joliette. J'entrai, ou plutôt on m'y fit entrer. Car si ce n'eût été que de ma volonté, l'accueil poli mais froid qu'on m'y fit eût suffi à me faire tourner les talons. En tout cas, s'il est vrai que la Providence est dispensatrice de tout bien et que le mal lui est étranger, les soeurs de la Providence portent fort mal leur nom. C'est du moins ce que je ressentais à ce moment-là. Car, quoiqu'il ne me déplût pas de devenir pensionnaire, c'est-à-dire de prendre congé de ma famille, la vie à l'orphelinat fut loin de me convenir. En fait, tout m'y déplut, les grumeaux qu'on me forçait à manger au petit déjeuner et surtout les restes de table de tout l'édifice qui, outre l'orphelinat, comprenait un hospice et un hôpital. Rien n'était plus contraire à ma nature libre que les règles strictes de la maison. Je m'y sentais aussi à l'étroit que si j'avais été enfermée. J'étouffais. Dans les corridors froids et sombres qui sentaient fort le mauvais détergent, j'avais peine à respirer et, comme une plante privée de soleil, je m'étiolais. Jamais je n'eus plus profonde nostalgie de la liberté de mon ancienne vie champêtre qu'à cet orphelinat. Les enfants qui y étaient n'étaient pas uniquement dépossédés de leurs parents mais du soleil, de la liberté, de la vie. Habituée à la campagne à régler l'horaire de ma journée selon mon caprice et ma fantaisie, je devais accepter un emploi du temps qui me paraissait aussi lourd qu'insensé.

C'est dans cet enfer pourtant, qu'un matin, se produisit un événement qui allait être si déterminant pour ma vie future: une sorte de révélation, d'éblouissement. C'était par un beau samedi matin. A travers les grandes fenêtres grillagées, le soleil inondait l'orphelinat. Je m'acquittais, en compagnie de la grande qu'on m'avait assignée, de la corvée hebdomadaire. Car il était entendu que notre éducation ne serait pas uniquement livresque et ne dédaignerait pas d'humbles tâches dont l'apprentissage nous préparerait supposément à remplir notre futur rôle de reine du foyer: un moyen détourné, sans doute, de réduire les frais d'entretien.

Je m'appliquais donc à nettoyer les lavabos, lorsque, pour la première fois de ma vie, j'entendis une chanson d'Edith Piaf. Je m'immobilisai, paralysée. J'étais éblouie, transportée. Nous étions dans la chambre d'une soeur qui était nantie d'un radio. La grande, audacieuse, s'était permise de l'ouvrir. Mais soeur Béatrice, qui passait par là, ne tarda pas à survenir, ayant suspecté quelque chose d'anormal. La grande n'eut pas le temps de fermer la radio. La soeur, en voyant sa mine coupable, compris tout de suite. Elle nous tança vertement en nous expliquant qu'il était interdit d'ouvrir la radio sans permission et, surtout, d'écouter des mauvaises chansons comme «La vie en rose.» Pourtant, cette soeur si sévère d'apparence, aimait sans doute Edith Piaf. L'imperceptible moue de regret qui plissa ses lèvres lorsqu'elle ferma la radio, et le temps qu'elle mit à tourner le bouton pour attendre la fin d'un couplet la trahirent. Mais la sévérité de l'ordre auquel elle appartenait, et l'obligation dans laquelle elle était tenue de nous donner le bon exemple, lui interdisaient des goûts aussi profanes. Quant à moi, je venais d'entrevoir un univers nouveau, une sorte de paradis, et, si la radio s'était tue, dans ma tête, la voix si émouvante d'Edith Piaf continuait de résonner avec ses accents sublimes.. Et elle allait continuer longtemps encore de le faire.

Durant cette année de pensionnat qui me parut une éternité, je ne fis guère de longs séjours dans ma famille. A vrai dire, j'y séjournai plus d'une journée seulement pendant les vacances de Noël. Vacances que j'avais désespérément attendues et qui ne me déçurent pas. J'adorais Noël, ses préparatifs, ses réjouissances, aussi assombries fussent-elles par les difficultés matérielles ou les frasques paternelles. Ce Noël là pourtant, je crus un instant être déçue. Ma mère, comme à l'habitude, vint nous réveiller à minuit. Le visage triste, la voix brisée, elle nous annonça que le Père Noël avait oublié sa poche de cadeaux et qu'il nous faudrait attendre l'année suivante pour nos étrennes. Nous étions singulièrement dépités. Mais quelle ne fut pas notre joie, lorsque, dans la pièce qui tenait lieu de salon et de salle à dîner, au pied du chétif arbre de Noël, nous découvrîmes trois grosses poches (des taies d'oreiller) blanches, bien remplies et attachées de longs rubans rouges. La petite mise en scène imaginée par ma mère avait réussi. Nous ne tenions plus de joie. Nous nous précipitâmes. Nous exultions. Qu'importait que les poches ne contiennent que de modestes présents, des oranges, des sucreries, du linge qui n'était pas neuf mais auquel la patience de ma mère avait redonné belle apparence? Nous étions heureux. Quand je pense aux joies innocentes que nous procurèrent des présents si modestes, je ne peux m'empêcher d'être envahie d'une irrésistible tristesse. C'est que je songe alors à la médiocrité des joies que des présents somptueux ont pu me procurer à d'autres époques de ma vie.

Si les cadeaux que je recevais alors m'enchantaient, la fête elle-même, presque à tout coup, m'attristait, du moins sa fin. Mon père célébrait Noël à sa façon et allait bientôt se joindre aux cadeaux au pied de l'arbre.

J'abordai bientôt les eaux troubles de cet âge difficile qu'on appelle l'adolescence. Difficile, mais aussi délicieux, enfin par moments. Difficile non pas seulement à cause de la transformation physiologique qui s'y opère et de toutes les inquiétudes et les interrogations qu'il entraîne mais surtout parce que, dans mon cas, il s'accompagnait d'une détérioration très marquée de la situation familiale. A dire vrai, la vie en famille était devenue un enfer et, n'eût été mon jeune âge et le peu de moyens dont je disposais, j'aurais sans doute quitté le foyer sans hésitation. Mes parents, dans l'espoir d'améliorer leur situation, achetèrent, pour quelques dollars, une petite «binerie» rue Ste-Catherine, près de Pie IX «Le Spotlight Lunch». Comme dans tout snack-bar qui se respecte, on y vendait des hot-dogs, des hamburgers et des frites. Ce menu, quoique banal, attira une clientèle fort nombreuse. En quelques mois, le restaurant devint si populaire que le concurrent d'en face, pourtant beaucoup plus important au départ, dut fermer ses portes. Les heures d'ouverture du magasin étaient extrême-ment longues. Maman travaillait le jour, papa la nuit. Mais le jour, dans les heures d'affluence, ma mère ne suffisait pas à la tâche, si bien que nous devions l'aider, ma soeur et moi. A notre retour de l'école, nous devenions «plongeuses», nous épluchions les patates. Les jours de congé et la fin de semaine souvent nous gardions le restaurant. Si bien qu'une fois les leçons apprises et les devoirs expédiés avec autant de plaisir que les corvées de patates, il ne nous restait souvent que bien peu de temps pour nos jeux. A Noël, j'avais eu des patins. Mais, à vrai dire, je ne pus «patiner» qu'entre le restaurant et l'école, entre la cuisine et ma chambre où je devais m'acquitter de mes devoirs. Il me faudrait plutôt dire, où j'aurais dû m'en acquitter, car dans le fait, je les négligeais de plus en plus. L'atmosphère s'y prêtait mal. Ma chambre, que je partageais avec ma soeur, était bruyante. Il n'y avait qu'un mur de «gyproc» qui la séparait du restaurant. Nous entendions constamment la musique du juke-box qui, d'ailleurs, nous empêchait souvent de nous endormir ou nous réveillait la nuit. Nous entendions les conversations, les rires, les bruits de chaises, le cliquetis de la vaisselle sale déposée dans le lavabo, le bruit sourd des caisses de Coca-Cola vides qui étaient entreposées - ce n'est pas le mot, je devrais dire: «garochées» - au pied du mur mitoyen, et ma tête servait parfois de mur, les soirs où mon père était «pompette». Et puis, de toute manière, ma chambre eût-elle été un cabinet d'étude capitonné, voire une cellule monastique, je n'aurais sans doute pas eu beaucoup plus de goût et d'ardeur pour mes devoirs. C'est qu'en fait, en jeune fille en fleurs qui se respecte, j'avais d'autres devoirs. Devoir de rêver, devoir d'aimer. J'abordais le délicieux jardin de l'amour avec une innocence toute frémissante. J'attendais tout de l'amour mais, avant tout, mon premier baiser. Il me semblait qu'il ne pût y avoir d'autre préambule à l'amour ni d'ailleurs d'autres aboutissement. C'était une sorte de fin en soi, le début et le tout de l'amour. Je n'entrevoyais rien au-delà, ou en tout cas rien de précis. Certes, j'imaginais qu'il pût y avoir entre un homme et une femme des contacts autres que ceux du baiser, car malgré mon jeune âge, je n'étais pas assez sotte pour croire que les soupirs cadencés et les râlements que j'entendais de la chambre de mes parents - qui était contiguë à la nôtre - fussent issus d'un simple baiser, aussi ardent, aussi sophistiqué fût-il. Je songeais très vaguement que faire l'amour était un curieux rituel accompagné de tels cris, de telles lamentations, mais sans vraiment y croire. Quelque chose en moi s'y refusait. Et je m'efforçais de bannir de mon esprit toutes les visions et les imaginations qui pouvaient naître des bruits issus de la chambre conjugale. Je sombrais souvent dans de longues rêveries sentimentales. Je rêvais à mon premier baiser, à l'extase délicieuse qu'il me procurerait, au bel amant qui me ferait enfin connaître l'amour. J'allais bientôt être satisfaite, dans des circonstances un peu différentes de celles, idéales, que j'avais imaginées, mais qui ne me déçurent pas. J'étais au restaurant familial, au comptoir. Il entra. Il était un peu plus vieux que moi. Il était Belge. Georges Van... quelque chose. Il était venu chercher une boîte de «Chiclets» jaune et, avec une audace qui me surprit et en même temps me ravit, me décocha un clin d'oeil de complicité, comme si je lui avais fixé un rendez-vous clandestin, ou comme si, entre nous, un code était convenu. J'étais tout énervée déjà, presque bouleversée. Mais je le fus encore bien plus lorsque, contre toute attente, il murmura: «Viens dehors, à l'arrière.». Je n'en croyais pas mes oreilles. Il était si beau et, hommage supplémentaire, il avait au moins deux ans de plus que moi. Ce qui, d'ailleurs, expliquait son assurance. Il ressortit aussitôt. J'hésitai un instant. Mon père était tout près. Il n'avait pas été témoin de la scène, mais il parut subitement s'intéresser à moi. Cependant, un habitué l'interpella. Il s'éloigna. J'en profitai pour sortir, tremblotante, mais trop amoureuse pour interdire à mon coeur ce premier rendez-vous, aussi singulier fût-il. Il m'attendait. Il s'était allumé une cigarette, sans doute pour m'impressionner ou pour contenir une nervosité que, par ailleurs, il cachait bien. Il esquissa un sourire. Je restai un instant interdite, puis, timidement, je m'avançai, avec des palpitations à me rompre la poitrine. Le décor n'était pas très romantique, nous étions au milieu des poubelles, mais je ne voyais que lui. Je m'étais arrêtée à quelques pas de lui, hésitante, attendant une parole ou un geste, intriguée, mais certaine qu'il allait se passer quelque chose. Mon attente ne fut pas bien longue. Il prit une ultime bouffée, jeta nonchalamment sa cigarette à moitié fumée, et me demanda, en exhalant de la fumée, de m'approcher. Puis, sans rien dire, et sans que je lui oppose la moindre résistance, il me prit dans ses bras et posa ses lèvres sur les miennes. Il se fit bientôt plus entreprenant, glissa sa langue. Je ne résistai pas davantage et, transportée, connus les délices du «french-kiss». Ce fut bref, mais doux. Il s'interrompit subitement, me dit qu'il devait partir et qu'il reviendrait le lendemain. Il ne revint pas le lendemain ni les jours qui suivirent. Je l'attendis au moins un mois. Ce fut mon premier amour et ce fut mon premier chagrin d'amour. Ce jour-là, mon père n'eut pas à me gronder, ni à me le redire par deux fois pour m'envoyer coucher. Et je ne fus nullement chagrinée, comme cela m'arrivait si souvent, de ne pouvoir prendre, pour ne pas manger les profits, une de ces tablettes de chocolat dont l'étalage était si alléchant mais qui étaient exclusivement réservées aux clients. J'étais contente de pouvoir aller rêver en paix - enfin, une paix relative - à mon premier amoureux. Mes parents pouvaient m'interdire de manger des tablettes de chocolat, auraient pû m'interdire de revoir mon amoureux si, du moins, il eût lui-même chercher à me revoir, mais on ne peut interdire à quelqu'un de rêver surtout à un enfant qui aborde, tremblant, la vie nouvelle de l'amour. «Les parents proposent, mais les enfants disposent»

«Vos enfants ne sont pas vos enfants.
Ils sont les fils et les filles de l'appel de la Vie à elle-même.
Ils viennent à travers vous mais non de vous.
Et bien qu'ils soient avec vous, ils ne vous appartiennent pas.

Vous pouvez leur donner votre amour mais non point vos
pensées,
Car ils ont leurs propres pensées.
Vous pouvez accueillir leurs corps mais pas leurs âmes,
Car leurs âmes habitent la maison de demain, que vous ne
pouvez visiter, pas même dans vos rêves.
Vous pouvez vous efforcer d'être comme eux, mais ne tentez
pas de les faire comme vous.
Car la vie ne va pas en arrière, ni ne s'attarde avec hier.

Vous êtes les arcs par qui vos enfants, comme des flèches
vivantes, sont projetés.
L'Archer voit le but sur le chemin de l'infini, et Il vous tend de
Sa puissance pour que Ses flèches puissent voler vite et loin.
Que votre tension par la main de l'Archer soit pour la joie:
Car de même qu'Il aime la flèche qui vole, Il aime l'arc qui est
stable.»

Khalil Gibran
Le Prophète
Casterman 1956

Le restaurant dont mes parents avaient fait l'acquisition avait amélioré notre situation matérielle. Amélioration qui, d'ailleurs, était chèrement payée par les longues heures d'ouverture et l'accaparement de nos énergies. Mais il n'avait pas amélioré pour autant l'harmonie conjugale de mes parents. Harmonie qui, du reste, était depuis longtemps compromise et, pour dire vrai, bien boiteuse. Mais saurait-il y avoir une harmonie conjugale qui ne le soit pas? Et la paisible tranquillité d'une union n'est-elle pas, plutôt que celui du bonheur, le signe de l'indifférence et de l'ennui?

Mon père était bel homme, c'est du moins ce qui me semblait. Impression que je n'étais pas seule à avoir, car toutes les employées tombaient en pâmoison devant lui. Aucune ne lui résistait, et il ne résistait à aucune. Ce qui nous valut des querelles conjugales aussi nombreuses que violentes. Ce qui n'empêcha pas ma mère de travailler, et le restaurant de prospérer. Car il n'y avait pas un an que nous l'avions ouvert que ma mère put acheter un manteau de mouton et une maison de chambres. Je cumulai dès lors les fonctions de plongeuse et de femme de ménage. Ce qui ennuyait considérablement la jeune fille que j'étais, naturellement encline, comme toutes les jeunes filles de son âge, à s'amuser et à rêver.

C'est à cette époque que ma mère accoucha du cadet de la famille, Serge. Et que je devins gardienne d'enfant. Corvée qui n'en était pas vraiment une, car dès le début, je me pris pour ce nouveau-né d'une affection qui dure encore aujourd'hui. Et lorsque, plus tard, je portai celui qui allait être mon seul enfant, mon fils Pascal, je pensais tellement souvent à lui que, je ne sais par quel étonnante puissance de Pygmalion de la pensée, il lui ressembla, et ce, de manière saisissante.

C'est à cette époque, également, que, grâce à mes économies, ma mère m'acheta un piano. Un piano bien modeste dont le son avait tout ce qu'il y a d'ordinaire mais sur lequel ma soeur et moi avons passé des heures inoubliables. Je prenais des leçon de piano. Je ne dirais pas que, comme plusieurs fillettes de mon âge, j'avais ces leçons en horreur.

Mais je préférais aux exercices qu'on m'imposait les petites improvisations auxquelles je me livrais, sans prétention, mais avec un plaisir infini. Faire un exercice, c'est suivre un chemin tracé depuis longtemps d'avance, et un chemin qui est souvent plat comme un trottoir de rue. Improviser, même maladroitement, même sans grand talent, c'est s'aventurer dans l'inconnu, sur le chemin de sa fantaisie, de sa liberté. Et, chez une fillette de mon âge, la fantaisie est grande, et la tentation d'y céder presque irrésistible. Mais je préférais encore de loin chanter. Le piano était un divertissement, un jeu : la chanson était déjà pour moi, même lorsque je chantais des chansons légères, quelque chose de grave. Je me sentais alors légère, bien que sérieuse; j'y mettais beaucoup d'application, de souci de perfection. Ma jeune soeur Claudette avait un accordéon piano et, comme elle suivait des cours chez Marazza, pouvait m'accompagner. Mon répertoire grossit rapidement. Bientôt en firent partie une vingtaine de chansons dont «Tennessee Walts», le morceau de mon père, «Montagne Bleue», «C'est Magnifique» et «L'homme à la moto» d'Edith Piaf. Comme si tout bonheur entraît avec lui sa part de malheur, ce que nous apprenions innocemment avec la joie de découvrir des choses nouvelles allait bientôt nous faire connaître un bien triste visage de la vie artistique. Car ma mère comprit vite qu'il ne fallait pas laisser inutilisés nos jeunes talents, qu'il fallait permettre à nos dons de s'épanouir. Et elle s'empressa de nous faire «booker» par un agent, Monsieur Richer, dans ce qu'il nous avait décrit ironiquement comme de très chics endroits mais qui était en fait des trous: Le Rodéo, Le Capitol, rue Saint-Laurent, l'Auberge du Canada, rue Bonsecours. Je ne peux me rappeler sans tristesse cette époque de ma vie. Fût-elle aujourd'hui lointaine, j'en garde un douloureux souvenir. Ma soeur et moi n'étions encore que des fillettes, pleines d'innocence et de rêves de notre âge, et nous étions brusquement confrontées avec un des visages les plus sordides de Montréal. Je me souviens d'une scène en particulier qui avait violemment ébranlé ma pudeur adolescente. A l'Auberge du Canada, en entrant, à l'entracte, dans la loge qui devait nous être réservée, nous tombons au milieu de danseuses nues, en train de se livrer à cette très élégante opération du rasage de leur pubis. Nous avons eu beaucoup de peine à garder notre contenance, devant un spectacle aussi cru et d'un réalisme aussi brutal, du moins pour des fillettes à peine adolescentes. J'étais alors très pudique et je le suis encore, du moins à certains égards. Ce n'est pas la nudité pure et simple qui me choque aujourd'hui car elle peut être très belle, très noble, mais la façon dont elle est utilisée, exploitée devrais-je dire. La nudité féminine surtout, que la publicité utilise si abondamment et à tort et à travers, en nous la servant à toutes les sauces, me semble souvent beaucoup plus indécente que le spectacle le plus purement pornographique. La nudité véritable, physique ou morale, est belle, car elle est un chant à la nature et à la beauté.

Il faut dire qu'à cette époque, j'étais loin de penser ce que je pense aujourd'hui et que pour moi, dont l'éducation avait été puritaine, — sinon dans l'exemple que me donnaient mes parents, du moins dans les grands principes qu'ils ne respectaient guère, — la nudité, surtout lorsqu'elle était affichée publiquement et qu'elle était accompagnée d'une opération aussi impudique que ce rasage, était à tout le moins immorale, ou tout au moins répréhensible. Heureusement tout de même qu'on ne nous l'imposa pas. Loin de là. Ma mère nous avait plutôt infligé une tenue qui faisait très habillée. Elle m'avait déguisée en femme, en m'attifant d'une robe de tulle «strapless» jaune serin, longueur maxi. Quant à ma soeur, elle avait une robe noire du même acabit que la mienne, si bien que, sur scène, nous avions l'air d'un serin et d'un corbeau en cage. Je dis en cage, car malgré l'apparente liberté de la scène, nous nous y sentions véritablement emprisonnées. Et le travail que notre mère nous imposait était comme une peine que nous devions purger, une peine d'autant plus cruelle que nous ignorions la faute que nous avions commise. Sans doute était-ce simplement d'être trop jeunes pour pouvoir opposer à la volonté maternelle une résistance efficace, et d'avoir un talent déjà rentable quoique naissant. Ma mère savait bien que le genre de travail qu'elle nous imposait nous déplaisait. Je dis genre de travail, je devrais plutôt dire de lieux où nous devions travailler car chanter était déjà devenu pour moi une passion. Mais ni nos plaintes ni nos larmes ne réussissaient à la convaincre: l'argent qu'elle encaissait à la fin de la semaine était pour elle un argument beaucoup plus éloquent, péremptoire devrais-je dire, comme il l'est d'ailleurs pour la plupart des gens. Malheureusement, dans la logique humaine, c'est le «nec plus ultra» des arguments, celui au-delà duquel tout est déraisonnable et absurde, celui qui donne aux choses, et même aux gens, leur prétendue valeur.

LETTRE A MA SOEUR...

Me dirais-tu si tu venais
L'amour qui règne au sein des tiens
Me dirais-tu si tu venais
Tout ce que tu me racontais

Tu es ma source et ma rivière
Tu es ma joie, mon jour de fête
La vie me prend et me transporte
Le vent frappe contre ma porte

J'ai peur ma douce des mois d'automne
Du temps où les arbres frissonnent
Les jours sont frais, les amours mortes
Je veille, j'attends que tu m'apportes

Les souvenirs de ces étés
Passés parmi les cerisiers
Le lilas blanc qui demandait
Un peu de pluie au mois de mai

Je te revois en robe claire
Fendre les vagues de l'océan
Si tu voulais changer le temps
Tu n'avais qu'à siffler le vent

Ces quelques gouttes d'eau salée
Près de tes yeux écarquillés
Rappellent les larmes séchées
Que tu avais en me quittant

Me dirais-tu si tu venais
L'amour qui règne au sein des tiens
Me dirais-tu si tu venais
Tout ce que tu me racontais...

Ginette

Je t'aime ma soeur, ma douce
Je voudrais t'écrire comment poussent
Tous ces trésors dans mon jardin...

Mais y'a certains sujets que je garde
Au secret me réservant
Le droit de les trouver fades
Si je dois les transmettre par lettre...
Je peux tout de même te révéler
Un bout de vérité
Sur mon scarabée
Il me vient d'une personne comme toi
Pour qui l'Inde et l'Afrique
N'ont plus de secret
Elle a aussi visité
L'Ile de Pâques et l'Atlantide
Où elle a été initiée
Et le jour où mon maître
Jugera que je suis prête
A voler de mes propres ailes
Il ne m'en coûtera pas beaucoup
Pour aller te visiter

Ou que tu sois perchée
Nous parlerons lévitation et méditation
J'inventerai des mots ma douce
Je t'expliquerai
Ce que je voudrais t'écrire
Mais que je préférerais te dire
En attendant, reçois ces mots:
Je t'aime.

                                                    Ginette

«Je sais les nuits vêtues de blanc
Où le sommeil n'a rien à faire
Lorsque le coeur a trop à dire
Je ne sais par où commencer
Il était une fois la vie
Que je découvre et que je sens

Elle est devant moi et j'en tremble
Qui me dira pourquoi j'ai peur
Pourtant je sais qu'il faut la prendre
La dévorer a pleines dents
En même temps ma joie est grande

Mais j'ai les craintes d'un enfant
Tant de chemins mènent à rien
Il me faut prendre le meilleur

Je sais les nuits privées de lune
Où l'on ne peut trouver sa voie
Tout en sachant qu'il y en a une
Je ne veux plus faire de faux pas
J'ai perdu trop de temps déjà
Oh toi ma soeur, toi mon amie
Et toi le Dieu qui m'a créée
Je sais que vous m'y aiderez

Mais il me faudra de moi-même
Démêler l'écheveau de laine
Je tisse depuis des années
La robe que je porterai
Au grand soir de notre première
Où nous pourrons main dans la main
Nous dire que ce qu'il fallait faire
Nous l'avons fait et que c'est bien»

MARIE-CLAUDE

Quand, après de tristes conciliabules avec ma soeur, dont je me faisais le porte-parole, je prenais mon courage à deux mains, et d'une voix qui cachait mal mon manque d'assurance disais à ma mère que je ne voulais plus faire ce genre de choses, que je ne voulais plus chanter dans des endroits aussi sordides, elle me faisait «chanter» mais au sens moins noble du mot, me menaçant d'interrompre mes cours chez madame Audet. Cette menace me terrorisait littéralement. J'adorais aller chez madame Audet. J'y rencontrais des gens que je ne pouvais rencontrer nulle part ailleurs, du moins à cette époque, des êtres qui avaient les mêmes goûts et les mêmes aspirations que moi: Martine Simon, Michel Jutras, Jacqueline Gauthier, Denise Bombardier, Pascal Rollin, qui avait déjà les cheveux poivre et sel et dont mon intuition m'avait déjà fait sentir, dès notre première rencontre, qu'il était en quelque sorte mon frère. Ce que l'avenir, d'ailleurs, n'a pas démenti. Nous nous aimons énormément. Il faut dire, du reste, que mon intuition m'a rarement trompée. En fait, devant les choix décisifs de ma vie, j'ai toujours préféré me fier à mon intuition plutôt qu'à ce qu'on appelle la raison. Il m'a toujours semblé que la clarté de celle-ci était trompeuse et qu'il me fallait m'en méfier et que la vague de celle-là n'était qu'apparent car à mon avis elle est la voix divine. Comme le clair-obscur dans certaines toiles, l'intuition éclaire souvent mieux que la lumière éblouissante du grand jour. On me reprochera peut-être de subir là des influences culturelles, de rentrer dans un modèle imposé par l'éducation et qui veut, ou du moins prétend, que les hommes ont une intelligence rationnelle et les femmes, intuitive. Ce qui est faux et, en plus, malheureux. Je ne veux pas prêcher l'irrationalité pure et simple. Mais je veux dire, par ailleurs, que la rationalité dont se réclament les hommes et qui, dans bien des cas, est leur idole suprême, me semble un faux dieu. Leur logique, une pseudologique. Ce qui est logique, c'est ce qui est utile. Logique est synonyme de pragmatique. Mais surtout, logique est synonyme de rentable. Tout ce qui ne rapporte pas est illogique. C'est cette logique, cette rationalité que je dénonce et non pas celle, qui permet, par exemple, de bien fignoler une chanson, de comprendre un livre, une philosophie. Je ne dénonce pas, par ailleurs, cette part de sens pratique nécessaire à la vie et qui, par exemple, permet de boucler la semaine. Mais je dénonce l'envahissement de toute la vie par le calcul, le pragmatisme, Je souhaite que vienne le jour où l'on ne taxera plus d'inutilité la poésie, et surtout celle qui n'est pas éditée, les chansons qui ne sont pas enregistrées, les sentiments qui ne sont pas monnayables. Et je rêve de poèmes qui soient inédits et non publiables, de chansons qui, sur un disque, ne pourraient pas se graver, mais se graveraient à jamais dans les mémoires. Je rêve d'heures à la parfaite mais infiniment belle inutilité.

Au cours d'art dramatique que je suivais chez madame Audet, je fis la connaissance d'André Gingras, qui fut mon premier vrai boy friend et qui allait devenir plus tard, avec ses photos, le réputé Toto des pages sportives du Journal de Montréal. A cette époque également, nous avions un chambreur qui s'appelait Conrad Bernier, qui allait devenir journaliste. Il m'impressionnait beaucoup avec sa vaste bibliothèque et surtout avec sa verve intarissable qu'il déployait à volonté et qui m'éblouissait tant dans nos conversations où je tenais surtout le rôle d'auditrice. Il m'apprit beaucoup sur la littérature, la philosophie, la poésie, et surtout, c'est lui qui m'inculqua le goût de la lecture que je n'ai jamais cessé de cultiver par la suite.

L'année suivante, en 1954, ma mère devint propriétaire d'une seconde maison de chambres collée à la première, rue St-Hubert, tout près de Dorchester. Nous avions d'ailleurs déménagé et habitions le quatrième étage. Mon père avait trouvé un emploi comme débardeur au Port de Montréal.

C'est cette année, également, que mon père, qui ne cessait de se quereller avec ma mère, dépassa les bornes et, non content de la battre de ses mains nues, lui lança par la tête une chaise berceuse qui lui entailla le front. Je n'assistai pas à la scène. Je suivais en ce temps-là des cours de phonétique chez madame Audet et j'avais été choisie, avec quelques camarades, pour chanter dans les choeurs de l'opéra «L'enfant et les sortilèges» de Maurice Ravel, interprété par Claire Gagné et Yoland Guérard. Mais ma soeur, qui était présente, me rapporta que ma mère avait le visage couvert de sang et s'était évanouie. A mon retour, un singulier mélange d'abattement et de consternation régnait à la maison. Ma mère avait été transportée d'urgence à l'hôpital et mon père avait été arrêté. Je résolus de tenir un conseil de famille. Ces derniers temps, en plus de maltraiter ma mère, mon père, qui avait déjà été plus discret, affichait ouvertement ses liaisons. Souvent liaisons d'un jour, d'une heure. En plein jour, il montait au Tourist Room d'en face pour aller s'assouvir. Je commençais déjà à être excédée. Ce qui venait de se passer fut la goutte qui fit déborder le vase. J'expliquai aux autres que la situation était devenue intolérable et que nous devions demander à notre mère de se séparer en dépit de l'éventuel danger matériel que cela présentait. Ils furent tous d'accord. Dès que ma mère fut de retour de l'hôpital, nous lui fîmes part de ce dont nous avions discuté. Mais le coeur a ses raisons... Malgré ses inconduites, ses escapades galantes et sa violence, ma mère aimait toujours mon père, aussi inexplicable que cela nous parût.

> Je n'y puis rien, je n'invente rien
> Je fais exactement ce que j'ai choisi de faire
> Dans une autre vie
>
> Qui puis-je blâmer
> Si j'arrive toujours trop tard

Lorsque la porte est fermée
S'il ne m'est resté qu'une fade lueur
D'une gloire passée pendant sept années de ma vie
Si j'ai mangé les miettes d'une table desservie
Si j'ai bu le mauvais vin jusqu'à la lie

Qui aurait pu savoir?
A qui puis-je en vouloir
Si je n'ai pas su voir
Que les bonheurs de la vie sont dans un «je t'aime»
Dans un sourire ou dans une poignée de main
Si je n'ai pas su prévoir qu'il y aurait un lendemain
Si mon âme a mangé des coups plus qu'à son tour...

Il m'est arrivé de prendre le dernier train
Sans en connaître la destination,
De me réveiller sans le moindre souvenir de la veille,
D'exister au printemps sans voir s'épanouir les bourgeons

Je n'y puis rien, je n'invente rien
Je fais exactement ce que j'ai choisi de faire
Dans une autre vie

Mais à partir d'aujourd'hui
D'une toute autre manière
Je vous le dis: «JE VIS»...

JE RESSUSCITERAI

J'ai jalousement gardé mes secrets
A venir jusqu'ici
Mais aujourd'hui
Rien n'a plus d'importance
Je ne m'appartiens plus
J'appartiens à la Vie

Vous pouvez bien m'insulter
Me piétiner si vous le désirez
Vous pouvez même m'assassiner
Je ressusciterai

J'ai vécu intensément ma vie
J'ai fait le tour du monde
J'ai rencontré
Des peuples qui m'ont convertie
A des religions sacrées
C'est à vous d'en profiter

Vous pouvez bien m'insulter
Me piétiner si vous le désirez
Vous pouvez même m'assassiner
Je ressusciterai

J'ai appris à ne plus craindre le monde
Forte de c'qu'on m'a enseigné
La lumière brille
Au plus profond de moi
Ceux qui la voient, suivez-moi
Ne vous inquiétez pas
Les autres...

Vous pouvez bien m'insulter
Me piétiner si vous le désirez
Vous pouvez même m'assassiner
Je ressusciterai

Je suis une Force de la Nature
Une Merveille qui s'ignorait
Mais par les Dieux
Le Grand Esprit me souffle
Que je dois continuer
Ce que j'ai commencé

Vous pouvez bien m'insulter
Me piétiner si vous le désirez
Vous pouvez même m'assassiner
Je ressusciterai

J'arriverai bien au Nirvana
Retrouver mes amis
Déjà partis
Je serai fière de moi
Parce que j'aurai accompli
Le travail que je m'étais choisi

A la fin de ma douzième année scolaire, il fut décidé que mon éducation était complète ou tout au moins terminée. C'était monnaie courante à cette époque. Il était rare qu'une fille poursuivît ses études au-delà du cours secondaire. Le cours universitaire était réservé presque exclusivement aux garçons et, par le fait même, toute une catégorie de professions et de métiers était interdite aux filles qui devaient la plupart du temps se contenter d'emplois subalternes. Bien sûr, il y avait des exceptions, mais elles étaient rares, et, comme en grammaire, ne paraissaient exister que pour venir confirmer une règle par ailleurs très sévère.

Cette ségrégation, je m'en rappelle, faisait souffrir bien des filles qui, malgré l'éducation qu'elles avaient eue, et je devrais dire, subie, auraient aimé poursuivre leurs études comme leurs frères, et apprendre un métier vers lequel elles se sentaient bizarrement appelées. Bizarrement, parce qu'une fille qui avait des ambitions autres que celle, suprême, de se marier, était la plupart du temps considérée comme une drôle de fille, lorsqu'elle n'était pas carrément vue comme une «fille». Toute volonté d'émancipation, d'indépendance, était suspecte, et perçue comme un accroc aux bonnes moeurs, voire une volonté de «faire la vie.» En fait, le sort qui était réservé à la plupart des jeunes filles de mon âge était finalement tout simplement d'attendre. D'attendre sagement la venue du prince charmant qui ne se contenterait évidemment pas de poser sur nos lèvres endormies le baiser qui nous délivreraient du sommeil de l'enfance, mais nous offrirait ce vers quoi nous toutes devions tendre, que nous attendions comme le baptême et qui nous ferait entrer enfin dans la vraie vie: le mariage. Pendant ce «stand-by», le lot de la plupart des jeunes filles était de se trouver un emploi de secrétaire ou de vendeuse qui faciliterait, provoquerait, oserais-je dire, la rencontre du bon parti. Pour ma part, la ségrégation dont était frappée la plupart des jeunes filles et qui leur interdisait l'accès aux études supérieures ne m'avait pas vraiment affectée. Si bien qu'il ne me déplût pas trop de quitter l'école. Mais l'emploi qui m'attendait ne me plût guère. J'étais entrée comme dactylo au Centre de psychologie et de pédagogie. Je n'y fis pas long feu. Le travail, qui était très routinier, m'ennuyait. Je me sentis rapidement devenir une sorte d'automate penchée huit heures par jour sur un petit instrument dont la principale caractéristique était d'être bruyant. Mais surtout, j'étais dépaysée, je ne me sentais pas à ma place. Après une période de ponctualité qui ne dura que quelques jours, je me mis à arriver en retard de façon régulière et presque systématique. Et je tombai malade de plus en plus souvent, et ce, bizarrement, plus souvent le vendredi et le lundi. L'approche de la fin de semaine me rendait facilement malade, semble-t-il, et celle de la semaine aussi. Mon patron ne tarda pas à trouver que je tombais trop souvent malade, et, au lendemain d'une journée de maladie, m'avisa qu'il était préférable pour ma santé que je prolonge indéfiniment ma convalescence. Je dus donc me chercher un autre emploi que je trouvai à la Commission d'assurance-chômage où je ne fis cependant pas plus long feu. Ma maladie ne guérissait pas. Je ne regrette évidemment pas d'avoir eu une santé si fragile, car le seul souvenir agréable que je garde de cette brève période de ma vie est la rencontre de celle qui allait devenir pour moi une très grande amie: Jovette Marchessault, qui aujourd'hui est peintre et écrivain. Il nous arrivait souvent d'être malades ensemble et de courir Montréal à la recherche de la guérison ou bien, qui sait, d'un «médecin!!».

C'est en compagnie de Jovette et de Martine Simon, que je vécus ce que je pourrais appeler ma période existencialiste. Je lisais Sartre, j'écoutais Juliette Gréco. Je portais la coupe chat, des bas trois-quart noirs, des jupes de tweed. Ce fut l'époque des nuits folles, où, jusqu'au petit matin, nous buvions du vin, discutions de philosophie et de musique, dans la fumée et le bruit des boîtes.

C'est en ce temps-là que ma carrière de chanteuse débuta véritablement. Madame Audet avait une émission radiophonique tous les samedis matins à Radio-Canada. Comme elle trouvait que j'avais une belle voix grave, elle me fit chanter le contre-alto dans ses choeurs. C'est un de ces samedis matins que Marc Gélinas me remarqua et me félicita. Il trouvait ma voix très belle. Il était alors la vedette du téléroman «Beau temps, mauvais temps». C'était la première fois que je le voyais mais j'allais le revoir souvent par la suite. Entre autre, quelque temps plus tard au cabaret La Cave, où Toto m'avait emmenée voir son spectacle et où je sentis que j'allais faire mes débuts sur scène. J'allais ensuite le perdre de vue pendant un bout de temps pour le revoir et boire et fumer avec lui. Et c'est lui qui, plus tard, alors que tous paraissaient m'avoir abandonnée et ne

semblaient même plus savoir que j'existais, vint me secourir au
fond de l'abîme où j'avais sombré.

J'ai le coeur au bleu
J'ai le coeur au rouge indien
Comme un fleuve heureux
Dans la main d'un Dieu
J'ai le coeur amérindien...

C'est à l'été des Indiens
Je me rappelle...
Le coeur absent, l'âme à la porte
Je ramasse des feuilles mortes
Je voudrais tant, je ne peux pas
Qui viendra s'occuper de moi
Je touche toujours un peu plus l'fond
C'est de plus en plus noir, j'appelle
Viendra-t-il celui ou celle
Qui mettra de l'ordre dans ma maison?

Froidure au dos, coeur angoissé
Sonne le glas d'une vie passée
Les mains tremblantes, l'oeil assassin
J'tuerais volontiers mon voisin
Vienne la profondeur de l'oubli
Que je connaisse enfin celui
En qui je pourrai reposer
Mon âme, mon coeur amérindien

Et tu m'es alors apparu
L'âme d'un poète, le coeur à nu
Ta main a caressé mon front
Tu m'as offert quelques bonbons
Tu m'as simplement pris la main
J'ai vu le soleil des matins
En moi est revenu l'espoir
Il ne suffit que de vouloir

J'ai marché bien des milles depuis
J'n'ai jamais plus senti la pluie

Dans mes cheveux chante le vent
Je me laisse bercer par le temps...

J'ai le coeur au bleu
J'ai le coeur au rouge indien

Comme un fleuve heureux
Dans la main d'un Dieu
J'ai le coeur amérindien...

C'est également à un de ces samedis matins de madame Audet que Jean-François, qui écrivait des chansons pour ses émissions, est venu me voir et m'a dit: «Ginette, je sens que tu as quelque chose dans le ventre, viens travailler avec moi, ne serait-ce que deux mois, et je suis certain que tu vas percer.» Je ne laissai pas passer une telle occasion. Et je me mis aussitôt à l'ouvrage, avec toute l'énergie dont je disposais. Je faisais du «coaching» avec Jean-François et sa femme Yvette Guilbert qui m'accompagnait au piano.

La vue de la scène de La Cave, le cabaret de Roger Mollet où chantait Marc Gélinas, m'avait laissé une très vive impression et, en même temps, le sentiment inexplicable, l'intuition très puissante et contre laquelle je ne pouvais me défendre, que j'allais débuter dans le showbusiness sur ces planches. Aussi, un soir, alors que j'étais dans ma chambre, rue Montsabré, de plus en plus préoccupée par cette sorte de prémonition dont je n'arrivais pas à me défaire, et décidée à en avoir le coeur net, je pris le téléphone et appelai monsieur Mollet. Je parlai tout bas, de crainte que mes parents ne m'entendent. Après quelques hésitations, prenant mon courage à deux mains et une voix pleine d'une assurance au fond tout à fait artificielle — car j'étais nerveuse à en mourir — je lui dis tout simplement: «Je veux chanter.» Il me répondit tout aussi simplement, sans aucune hésitation, et aucune réticence: «Viens passer une audition».

Ce que je fis le lendemain même. J'arrivai avec mon trac et mes partitions dont, du reste, à ma grande et agréable surprise, une seule me suffit pour convaincre le jury qui, très réduit, se composait de Roger Mollet et du déjà assez gros Rod Tremblay qui m'avait accompagnée au piano. Quand j'eus fini de chanter «l'Homme à la moto» que j'avais choisi un peu au hasard mais avec un bonheur que je ne soupçonnais pas, Roger

Mollet et Rod Tremblay échangèrent un regard puis un sourire éloquent. Puis Roger demanda à Rod: «Qu'est-ce que t'en penses?» Et ce dernier répondit avec son sympathique bégaiement habituel: «J'trouve ça b.b. ben b.b.b... bon». Il n'en fallut pas plus à Roger, qui partageait son avis, pour me dire: «Tu commences lundi. Qu'est-ce c'est ton nom au juste?» «Ginette Gravel», lui répondis-je. Il me suggéra alors qu'il serait préférable d'entrer dans le showbusiness avec un nom différent. Gravel lui déplaisait. Le lendemain, comme je me berçais dans la cuisine, après avoir essayé plusieurs noms différents, j'en étais revenue à mon vrai nom et jouais avec ses lettres, lorsque, tout à coup, m'est soudainement venu à l'esprit qu'il suffisait de supprimer une lettre, la première. J'obtenais ainsi Ravel, nom qui, pour une chanteuse, avait l'avantage d'avoir été porté par un grand de la musique. Et, en même temps que me venait ce «flash», je vis, en une sorte d'illumination, mon nom écrit en grosses lettres, à la porte d'un théâtre. Ce qui allait arriver sept ans plus tard à la porte de la Comédie Canadienne qui s'appelle aujourd'hui le Théâtre du Nouveau Monde.

Mes débuts furent assez heureux. Je ne dis pas qu'ils furent fracassants mais mon spectacle plaisait et l'auditoire m'acceptait généralement assez bien. Pourtant, j'étais atteinte par le trac et par un trac qui, sans me paralyser, était souvent très puissant. C'est à cause de ce trac que j'allais connaître une maladie qui allait ravager mon être et dévaster ma vie au point d'en faire un désert où il me fallut longtemps errer: l'alcoolisme. Je me souviens précisément du jour. C'était un lundi du mois d'avril, en 1959, j'étais dans ma loge en compagnie de mon coiffeur Michel Bazinet et j'attendais, anxieuse, le moment de monter sur scène. Quelques minutes avant le moment de mon entrée, Roger Mollet fit son apparition dans la loge avec en main un verre de cognac. «Tiens, bois ça, ça t'aidera à faire passer ton trac», me dit-il sans s'apercevoir de ce qu'il faisait et de la portée qu'aurait son geste, en apparence si anodin et si amical. Car sans que moi-même je le soupçonne à cette époque, ce fut là le départ d'une très longue et très éprouvante maladie. Ce n'était pas la première fois que je buvais, mais c'était la première fois que je le faisais pour calmer mes émotions. J'étais alors âgée de dix-huit ans et j'ai bu jusqu'à l'âge de trente-trois ans.

J'ai écrit au début de ce livre que chanter était parfois un chemin de croix. Je dois maintenant ajouter que boire l'est aussi et non seulement quand on le fait à la manière des «robineux» qui passent leurs journées et leurs nuits sur un banc du Carré Viger mais aussi quand on le fait de manière plus discrète et plus élégante, si du moins il existe une manière élégante de boire pour un alcoolique.

Je voudrais dire aussi que boire est un chemin de croix sur lequel la plupart du temps, on s'engage sans vraiment s'en apercevoir. On ne voit pas, au début, le calvaire qui nous attend au bout du chemin. Et lorsqu'enfin on l'aperçoit, la plupart du temps, il est déjà trop tard pour l'éviter. Il faut porter sa croix jusqu'au bout et boire sa coupe jusqu'à la lie. Ce qui est terrible dans cette maladie, c'est qu'elle est insidieuse. Il est très difficile de faire la différence entre le buveur social et l'alcoolique. Maladie insidieuse, l'alcoolisme est aussi une sorte d'entonnoir dans lequel on entre. On y vient de partout, pour diverses raisons, mais plus on s'y enfonce, plus le chemin se rétrécit, pour mener chacun, d'où qu'il vienne, au même endroit: la déchéance physique et morale, et, plus tard, la mort, à moins que ne s'opère une volte-face, un changement radical dans la vie du buveur. L'alcoolisme est un entonnoir mais ressemble aussi à cette sorte de piège, le collet, qui étreint plus étroitement sa victime à mesure qu'elle s'efforce de s'en échapper. Boire est un labyrinthe presque sans espoir, c'est une prison en apparence sans barreaux ni geôlier mais dont peut difficilement s'échapper le buveur car il est son propre geôlier et ses difficultés autant de barreaux à sa cellule. Pour le buveur, le verre quotidien est comme l'injection d'insuline dont a besoin le diabétique pour continer à vivre. Et ce qu'il y a de triste, c'est que toutes les occasions sont des prétextes, que surviennent dans la vie du buveur des événements heureux ou malheureux.

C'est en ce temps-là que je connus ce que, sans trop m'en apercevoir, j'attendais depuis longtemps: mon premier grand amour. Il n'y avait pas tout à fait une semaine que je chantais au cabaret La Cave. C'était le dimanche, après le spectacle de l'après-midi. Michel Bazinet et moi profitions des quelques heures dont nous disposions avant le spectacle de soirée pour nous délasser par une promenade sur la rue Ste-Catherine. Nous bavardions, insouciamment, nous parlions du spectacle que je venais de donner, de ses points forts et de ses points faibles. Soudain, avec une certaine brusquerie, comme s'il avait senti que quelque chose de grave ou tout au moins de très important allait se produire, Michel me retint en me saisissant le bras. Quelqu'un qu'il connaissait bien venait à nous, que je n'avais pas remarqué. Je m'en souviens comme si c'était hier, tant fut vive mon impression. C'était devant chez Geracimo, et celui qui venait à nous, c'était Paolo Noël. Would you believe in love at first sight? demande une chanson. Croiriez-vous en l'amour qui naît la première fois qu'on voit une personne? En d'autres mots, croiriez-vous au coup de foudre? Je sais que c'est un mot galvaudé, décrié. Je sais que c'est un mot qui n'a peut-être plus beaucoup de sens mais ce que je sais aussi c'est que la chose qu'il désigne existe bien. Comment en douter quand en voyant un être pour la première fois, vous vous sentez littéralement transporté, métamorphosé, lorsque vous sentez votre coeur palpiter, battre à tout rompre, lorsque vous sentez tout votre être vibrer, lorsque vous sentez que vous n'avez encore jamais vécu jusque-là et que vous vivez enfin? Appelez cela coup de foudre ou autrement, j'étais sous le coup du charme le plus puissant que j'avais jamais connu. Paolo revenait de Paris où il avait séjourné un an. Il était en pleine gloire. Il était beau comme un dieu, vêtu à la parisienne et nimbé d'un charme irrésistible. Michel, qui sentait mon trouble, fit les présentations. Je me rappelle que j'eus peine à saluer et que ma voix me parut étrangère, comme si j'étais dans un rêve. A ma grande surprise et à ma grande joie, Paolo nous accompagna au spectacle de la soirée. Ce fut le début de notre roman d'amour. De notre roman qui n'alla évidemment pas sans difficulté, du moins dans les débuts. Paolo avait trente-deux ans, j'en avais seulement dix-huit. Et il était divorcé. Mais qu'est l'écart d'âge pour deux êtres qui se sentent irrésistible-ment attirés l'un vers l'autre, pour deux êtres que tout rapproche? Et que sont les conventions sociales, les règles étroites et désuètes d'une morale étriquée, pour deux êtres qui s'aiment au-delà de toute chose?

Mes parents trouvaient très grave que leur fille fréquente ou même simplement songe à fréquenter un homme qui avait été marié. Et le fait qu'il fût un artiste n'aidait pas non plus. Les artistes ont toujours été considérés comme des gens au moeurs légères. A la maison, les scènes avec mes parents se multiplièrent, toutes plus violentes les unes que les autres. Je me souviens d'une scène en particulier. J'étais dans la chambre de ma mère, assise sur son lit. Elle ne voulait plus seulement influencer ma conduite mais carrément me la dicter. Elle me dit, me hurla, devrais-je dire: «Tu ne seras pas la maîtresse de Paolo Noël!» Le mot maîtresse donnait à notre affaire une dimension plus grave, quelque chose d'immoral presque. Je lui répondis simplement: «Oui, je serai la maîtresse de Paolo Noël!» En fait, je l'étais depuis quelque temps déjà et ce, dans tout le sens du mot. C'est même avec lui que j'avais découvert l'amour, la volupté. Je me souviens de la première fois. J'étais folle de désir et, en même temps, morte de peur. Paolo, qui était très sensible, s'en était d'ailleurs aperçu, et il me demanda très gentiment et le plus simplement du monde: «C'est la première fois?» Je ne dit rien et me contentai d'un sourire dont le sens lui parut évident. Il me murmura alors à l'oreille des paroles dont la tendresse fit disparaître toutes mes craintes. Et sans presque m'en apercevoir, tout en continuant à me murmurer des mots d'amour, il me dévêtit. Et je connus bientôt le raffinement de ses mains et l'ardeur de ses lèvres.

Quand nos corps alanguis s'éveillèrent de la douce somnolence que l'étreinte leur avait procurée, j'étais si heureuse que je regrettais de n'avoir pas fait l'amour avant, mais, en même temps, je sentais que je ne pouvais regretter de l'avoir découvert avec Paolo, et que nul autre que lui n'aurait pu me le faire découvrir avec ce mélange si rare de sentiment et d'art, de tendresse et de fougue. C'était la première fois, ce ne fut évidemment pas la dernière. En fait, le jour même, Paolo me donna l'occasion de me faire répéter ce qu'il venait de m'apprendre. Je crois que j'avais bien appris ma leçon et même très bien, car celui qui avait été professeur fut surpris de redevenir, quelques instants, élève. Quand à l'engueulade que je venais d'avoir avec ma mère, elle n'avait pas duré longtemps. Quand j'eus dit à ma mère que je serais la maîtresse de Paolo, je sortis de sa chambre en claquant la porte, sans vouloir discuter davantage.

L'amour se fait entre deux doigts
L'amour se fait entre deux bras
L'amour se fait les bras en croix
L'amour se fait entre toi et moi

L'amour se fait à la plus d'une
L'amour se fait près d'une dune
L'amour se fait à la pleine lune
L'amour se fume et se consume

Rappelle-toi
Quand nous étions
Au bal de mai
Non loin du quai
Rappelle-toi
Quand nous étions
Les fiancés
Du bal de mai

L'amour se fait entre deux chants
L'amour se cueille au bord des champs
L'amour, c'est le printemps
Qu'on reconnaisse l'amour lent

L'amour se couche sur les feuilles
L'amour se donne sur ma feuille
L'amour respire sur mon seuil
Il ne suffit que je le veuille

Quand nous étions
Au bal de mai
Non loin du quai
Rappelle-toi
Quand nous étions
Les fiancés
Du bal de mai

FAIS-MOI L'AMOUR

Fais-moi l'amour
Epelle-moi le mot je t'aime
Prends ma tête entre tes mains...

Prends mon corps sur ta couche
Je veux pleurer sur toi
Je te sens sur ma bouche
Je te sens en moi

Fais-moi l'amour
Si j'ai mis ma blouse de soie
C'est pour que tu devines
Oui que tu devines

Que mon sein te taquine
J'ai l'appétit de toi
Ne sois pas misogyne
Je veux rêver de toi

Tu as le dessus sur moi
A chaque coup que tu me donnes

Je t'aime un peu plus fort
Va... plus rien ne m'étonne
Je veux t'aimer encore

Fais-moi l'amour
Comme jamais tu ne l'as fait à d'autres
Oui, encore une fois...

Ton corps fait tache d'ombre à la lumière
Tu n'as jamais été si beau

Je pleure, je rage et je me donne
J'arrive au bout de moi...

*

J'espère de toi
De toi sur ma couche
De tes doigts sur ma bouche
Tu embrasses mes lèvres
Et je m'élève
Viens te reposer
Nous verrons le soleil se lever
Nous entendrons ensemble
Le bruissement du vent
Ta tête reposera
Sur mes hanches
Je passerai ma main dans tes cheveux
Je boirai l'or de tes yeux
Nous espérerons devenir vieux
En jouant les jeunes amants

Tu m'enseigneras l'art
Qui fait que l'amour
Demeure toujours le grand amour
Caresse-moi là ou ça sent bon
Le goût de toi
Ce qu'il te reste au bout des doigts
Repose-toi
Je veillerai sur ton sommeil
Comme on veille sur un enfant
Je ferai une prière dans l'ombre
Pour que jamais tu ne sombres
Dans la mer houleuse qu'est la vie
En dehors de nous
Je ferai une prière
Pour que nous ne cessions jamais
De partager l'ambroisie et le nectar
Avec les Dieux qui nous ont réunis

*

Ma carrière avait pris un essor subit et prodigieux. Monsieur Mollet, qui ne m'avait engagée au début que pour une semaine, décida, devant la popularité étonnante que je connaissais, de prolonger mon contrat. Il me garda en vedette cinq semaines. Le bruit se répandit rapidement que j'étais la découverte de l'année. Tout Montréal accourut pour me voir et m'entendre. On m'avait surnommée la Piaf canadienne. Attirés par un tel succès, messieurs Jean Bertrand et Jacques Matti vinrent m'écouter et décidèrent, sans hésiter, de me faire enregistrer mon premier disque: «Par ce cri» et «Le Secret de l'amour». Je fis également ma première émission de télévision. C'était l'émission qu'animait Lucille Dumont et qui était la dernière de la série intitulée: «A la Romance.» Lucille Dumont et la réalisatrice Lisette LeRoyer me trouvèrent jeune et belle. Je savais que j'étais jeune. J'étais flattée d'apprendre que j'étais belle aussi. Mais Lucille Dumont me flatta davantage en faisant remarquer à la réalisatrice, avec une voix emplie d'une surprise admirative: «Et cette voix qui sort d'un si petit corps...» Malgré mon trac, je m'étais tirée assez bien d'affaire. Nous n'avons évidemment pas manqué de fêter ça Paolo et moi, sur son bateau. La nuit fut longue, longue mais aussi courte, trop courte, car elle fut très douce... et l'aube aussi fut douce et très belle, avec un lever de soleil magnifique. Pour moi, c'était l'aube d'une carrière.

Maurice Dubois, qui s'était présenté à La Cave en même temps que messieurs Bertrand et Matti, me fit faire ma deuxième émission de télévision: «Le Club des Autographes.»

Lorsque mon engagement à La Cave fut terminé, Paolo, qui en même temps que mon amant, était en quelque sorte devenu mon manager, réussit à me faire engager avec lui au Baril d'huîtres, à Québec. Je le revois au téléphone, alors qu'il discutait avec un des propriétaires du cabaret, sur un ton très persuasif. Il en vint à dire: «T'es mieux d'en profiter et de l'engager pendant qu'elle ne te coûte pas cher, parce que ça sera pas long qu'elle va coûter une fortune...» Sacré Paolo va... Il avait confiance en moi et la confiance qu'il me manifestait augmenta beaucoup la mienne. Je sais, du reste, que l'amour qu'il me vouait ne l'aveuglait pas et qu'il était persuadé de ne pas se leurrer au sujet de mon talent naissant. Il se servit du même argument qu'au Baril d'huîtres à la compagnie de disques RCA. Et Marcel Leblanc s'empressa de me recevoir et de me faire passer une audition. Il fut enthousiasmé. Et j'enregistrai ce qui allait devenir mon premier gros succès sur disque: «Les enfants du Pyrée». Peu après, j'endisquai mon premier 33 tours: «Tu te souviendras de moi,» qui m'a mérité le Disque d'Or en 1960. Ces premiers enregistrements furent des moments de ma vie très excitants, exaltants même. Enregistrer était une fête, une fête parfois pénible, qui exigeait beaucoup de travail et des répétitions souvent épuisantes, mais une fête quand même. Marcel Leblanc, qui est rapidement devenu mon ami, a par la suite mis sur le marché treize de mes 33 tours et une bonne cinquantaine de 45 tours. Il ne fallut pas beaucoup de temps pour que, tout heureux de mon succès, Marcel vint me montrer, dans le Cash Box, que si Elvis Presley était le plus gros vendeur en Amérique, par contre, du côté francophone, c'était moi qui remportait la palme. Ce qui évidemment ne manqua pas de flatter ma fierté et en même temps me stimula considérablement.

Le contrat que Paolo m'avait fait décrocher à Québec avait été pour moi la source d'une grande joie mais fut aussi celle d'un drame que j'avais prévu mais dont je n'avais pas prévu l'ampleur. Quand j'annonçai à mes parents que je partais pour Québec, ils se mirent à gueuler. C'est mon père qui gueulait le plus fort: «Si tu veux chanter absolument, tu ne chanteras qu'à Montréal. Je te défends de partir d'ici!« Et mes parents n'étaient pas sans savoir que je partais avec Paolo, un artiste, un homme de trente-deux ans, et, par-dessus le marché, divorcé. De mon côté, j'aimais Paolo, malgré tout ce qui aurait pu nous séparer. Et la chance de donner à ma carrière une dimension nouvelle était trop belle pour que je n'aille pas à Québec. Il me fallut donc faire un choix. Un choix que j'ai fait rapidement mais dont, évidemment, je n'ai pas fait part immédiatement à mes parents. Au contraire, j'ai fait mine de rien. J'ai fait comme si j'étais prête à obéir. En vérité, j'étais prête à tout pour partir. J'ai fait part à Paolo de ma résolution qu'il accueillit évidemment avec plaisir et soulagement aussi, car un instant, il avait craint que je ne cède devant l'autorité paternelle. J'ai préparé mes affaires en cachette et je me suis arrangée avec Paolo pour qu'il vienne me chercher le lendemain matin à cinq heures pendant que toute la maisonnée dormirait encore paisiblement sur ses deux oreilles.

Je ne fermai pas l'oeil de la nuit, pour être sûre de me lever à temps, car, de crainte qu'il n'éveillât toute la maison, j'avais préféré ne pas utiliser mon cadran. Mais en raison d'une distraction de ma part, parce que je l'avais d'abord réglé pour qu'il sonne et que j'avais ensuite oublié de le régler pour qu'il ne sonne pas, il sonna. Mais pas longtemps, heureusement, car j'étais déjà levée et près de ma table de chevet. Mais je restai longtemps la main posée dessus, morte de peur, à attendre pour savoir si je n'avais réveillé personne. Mais la chance était de mon côté, après avoir failli me desservir si malicieusement. Je n'entends nul bruit. Je m'empressai donc de faire mes derniers préparatifs et, sur la pointe des pieds, je sortis par l'arrière de la maison, doublement anxieuse. Doublement, car en plus de craindre d'être surprise par mes parents et empêchée par la force de partir — je savais mon père capable de tout pour que son autorité soit respectée — je craignais vaguement que, pour quelque motif que ce fût, Paolo ne soit pas au rendez-vous. Peut-être aurait-il changé d'idée entre temps. Peut-être trouverait-il que cette fugue, qui était en quelque sorte la confirmation de notre liaison, était un peu prématurée?

Mais mes inquiétudes étaient inutiles. Paolo était là, toujours aussi beau, malgré l'heure matinale, dans sa belle petite MG bleue. Lorsque je l'aperçus, je ne pus m'empêcher de pousser un soupir de soulagement: il était en quelque sorte mon sauveur, celui qui m'arrachait à l'enfer familial pour m'offrir l'aventure...

Il m'aida avec empressement à placer mes bagages dans la voiture. Tout allait bien, nous venions de monter dans la voiture et nous nous apprêtions à démarrer, lorsque j'entendis la voix que j'avais craint si fort d'entendre: celle de mon père, qui, réveillé par je ne sais quoi, était sur le balcon en compagnie de ma mère et m'ordonnait de revenir immédiatement. Comme je n'obtempérais pas, il me menaça de me faire entrer à l'école de réforme. Menace qui ne m'impressionna guère car je l'avais déjà entendue des centaines de fois. Mais j'avais quand même pris la précaution de me renseigner auprès d'un avocat qui me rassura en m'expliquant que, comme j'assurais déjà par moi-même ma subsistance, j'étais parfaitement libre de mes actes. Quand je fis signe à Paolo de démarrer, j'avais quand même un pincement au coeur en pensant au chagrin que je faisais à mes parents. Mais il faut savoir choisir. Et surtout, il ne faut jamais renoncer à sa vocation pour satisfaire ses parents. Il ne faut pas avoir peur. Ou si on a peur, il faut vaincre sa peur et non pas s'en laisser dominer. La vie est élan, amour: la mort est peur, haine. Dans mon cas, si j'avais laissé la crainte l'emporter sur l'élan vers la vie, c'est une très belle période de mon existence que j'aurais manquée. Et puis, de toute manière, vient un âge où il faut vivre sa vie et la vivre comme on l'entend. Mes parents, irrités par ma désobéissance, ne l'entendirent pas de la même manière et, comme pour me punir de mon entêtement, défendirent à mes frères et soeurs d'entretenir quelque relation que ce soit avec moi, leur ordonnèrent de couper tous les ponts. Et, sans trop que je puisse savoir si c'était parce qu'ils avaient obéi à cette consigne ou en raison du hasard, je ne les revis a peu près pas dans les temps qui suivirent si bien que, d'une certaine façon, je sentis que j'avais perdu ma famille.

Une perte qui, par ailleurs, était très agréablement compensée. C'est que, si je perdais ma famille, je retrouvais pas contre mon beau marin et, plus encore, une famille nouvelle car sa mère se prit d'affection pour moi dès le premier jour, et, en quelque sorte, m'adopta. Ce fut une époque très heureuse de ma vie pendant laquelle je sentis que je vivais pleinement pour la première fois peut-être. Ce furent deux ans et demi, pleins, presque sans faille. Dès le premier mai, nous nous embarquions, et nous restions sur le bateau au moins jusqu'au premier novembre, même si, les derniers temps, c'était plutôt frais. Mais nous avions une «tortue», qui est une sorte de petit poêle à bois, des sacs de couchage, des cols roulés et aussi, la douce chaleur de notre amour. Et nous vivions la vie de bohème dont j'avais toujours rêvé. Paolo, avec un art subtil, m'insuffla cet amour de la mer et des bateaux que je n'ai jamais perdu.

JE ME SENS AU-DESSUS DES NUAGES

Je me sens au-dessus des nuages
Les cordages à travers la grande voile
Au milieu de la nuit font bon ménage
Je me laisse bercer par la vague
Le ciel était rouge au couchant
Demain il fera bon temps
Aujourd'hui, la mer était houleuse
Mais les mouettes qui suivaient mon bateau
Paraissaient quand même très heureuses
C'qu'on est bien sur la mer et dans le vent

Je me sens au-dessus des nuages
Une mouette s'est perchée sur le mat
Elle se balance au gré de l'océan
Si elle est là, je peux être tranquille
Mon bateau n'est pas solide
Mais je sais qu'il résistera
J'ai astiqué la coque, maquillé la quille
Je peux braver toutes les tempêtes
Je veux crier à tous: «RIEN NE M'ARRETE»
C'qu'on est bien sur la mer et dans le vent...

JE SUIS COMME L'OCEAN

Je suis comme l'océan
Qui ne se laisse pas souiller
Malgré les saletés qui s'y déversent
Je ne déborde pas malgré les averses
Je suis comme un enfant

J'aime à croire les histoires qu'on me raconte
J'aime à imaginer une face du monde
Qui ne change jamais, qui reste toujours vraie

Je suis comme l'océan
Bouillonnante, remplie d'un monde
D'une beauté incommensurable
Je cache en moi
Des trésors d'une richesse incontestable
Celui qui arrivera à les découvrir
Pourra s'en nourrir
Pendant des millions d'années
Je suis comme un enfant
Qui rêve de jolis bateaux
Qui se laisseraient bercer par les flots
J'aimerais parler le langage des oiseaux

Je veux prendre le large
Aller contre vents et marées
Porter la semence de mon coeur
Je ne suis pas née pour avoir peur
J'ai la grandeur de l'océan
Et la candeur de l'enfant
Je suis née pour aimer et être aimée

LA PLUPART DU TEMPS

La plupart du temps
Je meurs, je me désespère
Je n'existe plus sur terre
J'attends
La plupart du temps
Le soleil descend si vite
Je ne sais plus si je mérite
J'hésite

Mais lorsque je te vois
Tout rayonne en moi
Je n'ai plus peur, je n'ai plus froid
Je ne crains plus le monde

La plupart du temps
Le sable blanc devient si noir
Qu'il m'arrive d'oublier le soir
J'attends
La plupart du temps
Les frangipanes, les flamboyants
Prennent couleur de terre
J'espère

La plupart du temps
La mer devient si agitée
Je suis remplie de fils d'araignée
Je te crie: «Je veux vivre»
La plupart du temps
Le rose, le bleu et le lilas
Savent gronder en moi
J'espère, j'attends

Mais lorsque je te vois
Tout rayonne en moi
Je n'ai plus peur, je n'ai plus froid
Je ne crains plus le monde

La plupart du temps
Je n'entends plus la musique
Le soleil se couche par terre
En ce temps-là, j'attends
La plupart du temps
La poésie devient muette
Je reste là en tête à tête
Avec moi-même, j'attends

La plupart du temps
Le paradis lui-même a disparu
Je ne vois plus le bout de ma rue
Je n'espère plus
La plupart du temps
L'immensité remonte en moi
Comme une gorgée de haut-le-coeur
Je n'attends plus

La plupart du temps
J'oublie le temps
Je me demande de temps en temps
Si tu penses un peu à moi
Mais je sais que lorsque je te vois
Tout rayonne en moi
Je n'ai plus peur, je n'ai plus froid
Je ne crains plus le monde.

APPRENDS-MOI

Apprends-moi l'amour sans écorchure
Dessine-moi une vie à deux sans bavure
Apprends-moi la vie sans avoir peur
Montre-moi la liberté sans pour autant
Subir la solitude
Apprends-moi l'aurore éternellement colorée
D'un soleil levant
Brouille les jaunes et les bleus
Pour me faire luire l'espérance
Je pourrai te donner mes gris et mes noirs
Comme une offrande.
Calme cette mer houleuse qui grogne au fond de moi
Change l'orage qui se déchaîne
En un temps doux
Puis-je me reposer dans ton cou?
Il me semble reconnaître ton parfum
Ta main presse mon sein
Pour moi, c'est un autre matin...
Je m'ouvrirai à ta demande
Qu'elle que soit la largeur du chemin
Je baiserai tes pieds et tes mains
J'oublierai que je suis là
Tu dirigeras mes pas
Laisse ta main sur mon sein

Nous repartirons en douce
Pour aller plus loin que l'oubli
Nous rattraperons nos âmes
Qui nous précèdent d'un pas
Ce n'est pas si loin mon ami

C'est le commencement de la vie
Que je suis heureuse
Je meurs et je revis à la fois
Connaissons la paix de l'âme
Celle qui nous aime
Même si nous ne l'aimons pas
Laissons le bruit étourdir
Ceux qui nous entourent
Rentrons chez-nous pour nous unir
Dans un même lit
Le temps s'améliore, aujourd'hui, c'est jeudi...

Un proverbe qu'on trouve souvent drôle lorsqu'on l'entend la première fois mais qui, ensuite, nous porte à réfléchir, et ce avec une certaine amertume, dit que l'amour fait passer le temps et que le temps fait passer l'amour. Ce fut un peu ce qui m'arriva avec Paolo. Un peu, mais pas tout à fait. Car l'amour que j'eus pour Paolo fit plus que faire passer le temps. Même, il fut tout sauf un passe-temps. Avec lui, j'oubliai le temps, j'oubliai ma triste enfance. J'avais oublié ma vie d'avant, je ne songeais pas à l'avenir, je vivais au présent, au jour le jour de notre amour. Avec Paolo, je me sentais vivre. Mais le temps que j'avais oublié ne m'avait pas oubliée, lui. Mon amour, il me semble, prit fin de manière presque aussi soudaine qu'il était né. Un matin, en me levant, je compris, ou tout au moins je sentis que tout était fini entre Paolo et moi. Je le lui dit, très simplement. Il n'y eut pas de drame, notre rupture ne s'éternisa pas. Je partis le jour même, sans regret, avec cependant dans l'âme un brin de nostalgie, parce que l'amour n'est pas éternel. On dit que tout est bien qui finit bien. Mais est-il des amours qui finissent bien? Même si, en apparence, il n'y a pas de drame? La fin d'un amour n'est-elle pas la chose la plus triste qui soit, même si elle cède la place à une amitié qui, elle, sera durable? Et celle qui resta entre Paolo et moi le fut. N'y a-t-il pas, au fond de chaque amour qui naît, le désir qu'il soit éternel? Et, dans chaque amour qui finit le sentiment de mourir un peu? Car lorsqu'on cesse d'aimer, on part, et partir...

Je ne suis pas partie la mort dans l'âme quand même, en dépit d'une vague tristesse. Si partir c'est mourir un peu, rester l'est parfois aussi... Surtout lorsque, comme le dit Joe Dassin, l'amour fait place au quotidien, lorsque peu à peu s'effrite le beau rêve et que pèse de plus en plus lourd le poids de la grisaille, de l'habitude. Car dans l'amour, l'habitude est une sorte de mort, une porte ouverte à l'ennui... Et, en moi, à ce moment, s'était mis à souffler très fort le vent de l'aventure, ce vent qui, tant de fois, m'emporta et me força, parfois malgré moi, de donner à ma vie un élan nouveau...

Car depuis quelque temps, je me sentais à l'étroit dans notre amour. Les barreaux de notre cage dorée s'étaient ternis avec le temps. Et l'absence de liberté me pesait de plus en plus. Curieusement, je me sentais un peu comme si j'avais été mariée. Car quoiqu'on en pense, l'union libre ressemble souvent au mariage. Elle entrave parfois autant la liberté et n'est pas aussi «libre» qu'elle le prétend, surtout lorsque les amants se promettent fidélité. L'exclusivité de leur relation ressemble alors beaucoup à celle à laquelle s'engagent les époux devant l'autel. Il y a tout de même une différence. C'est que l'union libre se dénoue plus facilement que le mariage, sans tracasseries légales et administratives.

JE DOIS ALLER AU BOUT DE MES AMOURS

Je dois aller au bout de mes amours
Attendons la fin d'un jour
Puis, nous soulèverons le voile
Qui me déchire, avant même d'y penser
Je me sens le coeur troublé
L'aventure me fait peur
Sans avoir peur des mots
J'éprouve une double crainte
Mais fuir n'est pas la solution
Je dois regarder mes émotions
Prendre la route qu'elles souhaitent suivre
Accepter d'être ce que je suis
Sans y voir là, de trouble-fête
Vivre est un mot à faire perdre haleine
Aimer fait perdre la raison
Les oiseaux le font pourtant sans apauvrir la moisson
Ils suivent les saisons
Ils n'en veulent pas à la nature
De les transporter d'un pays à l'autre
Sans leur demander leur avis

Ils vivent en harmonie
Petit oiseau du Bon Dieu
Je veux te ressembler
Apprends-moi à accepter la vie

JE NE SAIS PAS

Je ne sais pas jusqu'où l'amour peut aller...
Je ne sais plus jusqu'où la haine peut aller...
Je ne sais pas jusqu'où la destruction peut aller...
Je ne sais plus non plus jusqu'où la vie peut aller...
Mais je sens l'Au-delà pour tout être vivant ici-bas

Regarde un peu l'oiseau
Il ne cessera jamais d'exister
As-tu déjà senti cet être
Pourtant rempli de liberté
Te dire adieu dans le creux de ta main?
L'oeil se ferme... l'âme s'envole...
Mais ton amour saura toujours le réchauffer
Quelque soit le chemin qu'il s'est choisi

Sois certain que le soleil et la lumière
L'accompagneront dans son paradis
Des chemins bordés de fleurs
Et des musiques jouées en douceur
Le guideront dans l'éternité
Jusqu'à la fin de ses vies...

LES JARDINS SE RESSEMBLENT

Mon amour ne me quitte pas
Refleurit le lilas
De la même manière que toi
Mon amour ne me quitte pas
Je veux penser à toi
De la même manière
Que j'y ai pensé déjà

Les jardins se ressemblent
Les feuilles tremblent

Les roses dès septembre
Se meurent de froid

Mon amour ne me quitte pas
Je grandirai pour toi
De la même manière que tu penseras à moi
Mon amour ne me quitte pas
Je fleurirai pour toi
De la même manière
Qu'embellit ton lilas

Les jardins se ressemblent
Quatre saisons
Vieillirons-nous ensemble
Mille raisons

Mon amour ne me quitte pas
Je sens je meurs déjà
Tout est blanc, tout est calme, tout est froid
Mon amour ne me quitte pas
Une heure, c'est long parfois
Je verrai le soleil avant toi

Plus rien ne se ressemble
Tu n'es plus là
Pas même le lilas
Plus rien, ni toi... ni moi...

TU M'AS OFFERT DES FLEURS

Tu m'as offert des fleurs
Ce n'était pas mon anniversaire
Un brin d'muguet, un brin de lilas
Tu m'as offert ton coeur
Tu m'as offert des fleurs
Ce n'était pas mon anniversaire
Quelques jonquilles, du mimosa
Tu as pensé à moi

J'étais sensible aux fleurs

Tu savais ça à ta manière
Mes yeux se sont remplis de pleurs
J'étais sensible aux fleurs
T'as caressé mes cheveux longs
Tu faisais ça à ta manière
Mais je savais bien qu'au fond
Ça ne durerait pas

Tu m'as offert un bouton d'or
C'était alors mon anniversaire
Je l'ai pressé tout contre moi
Mais il était trop tard
Il a séché entre mes doigts
Sans que je n'puisse rien y faire
Quelqu'un m'a prise entre ses bras
Mais ce n'était plus toi
Il m'a offert des fleurs
Ce n'était pas mon anniversaire
Un brin d'muguet, un brin d'lilas
Il m'a offert son coeur...

Pendant ma vie avec Paolo, j'avais sacrifié ma carrière à mon amour. Sacrifié, le mot est mal choisi. J'avais plutôt consacré ma vie à mon amour. J'avais quand même enregistré quelques disques et fait un peu de cabaret. Mais c'était si on peut dire à temps partiel. Après notre rupture, je me suis lancée à plein temps, si on peut dire. Ma popularité, qui avait été rapide, augmenta encore. Dans les années qui allaient suivre, elle ne cessa d'ailleurs d'augmenter. Les spectacles et les disques se succédaient à un rythme de plus en plus rapide. Je connaissais enfin ce dont je rêvais depuis des années: la gloire, ou tout au moins ce qui lui ressemblait. Je dois avouer qu'elle ne ressemblait pas exactement à ce que j'avais imaginé. Mais la vie réelle peut-elle jamais ressembler à la vie rêvée? Est-il des songes qui, réalisés, ne soient flétris par la vie? Je dois quand même avouer que la gloire me fut douce, du moins dans les débuts, et que je n'en connus pas tout de suite l'envers. En femme qui a bu, et beaucoup bu, la première comparaison qui me vient quand je pense à la gloire, c'est celle avec le champagne: c'est la boisson la plus exquise, la plus douce, mais aussi celle qui pétille le moins longtemps, qui devient le plus rapidement «flat». Souvent je me demande si je n'aurais pas été mieux de me contenter du «Ginger Ale», liqueur douce peut-être plus commune, moins raffinée, mais qui pétille plus longtemps et qui, aussi, nous réserve des lendemains moins pénibles. Car ceux que réserve le champagne sont loin d'être des lendemains qui chantent, même si vous êtes une chanteuse. Ils déchantent plutôt, en tout cas ils désenchantent, surtout que l'ivresse qu'entraîne cette boisson des dieux, et des dieux déchus, est insidieuse, subtile. Si on voit la vie en «rose» en se délectant de champagne, le lendemain, la vie est plutôt «morose». Ainsi est la gloire qui a ses splendeurs éphémères, et ses misères, bien douloureuses, car, du moins en apparence, elle nous élève sur des cîmes inaccessibles, puis, ingrate, infidèle, nous laisse tomber et... la chute est bien réelle, bien cruelle. Et si l'on mesure la chute d'un être à la hauteur jusqu'où il s'est élevé... Le champagne, comme la gloire, grise, non seulement nos esprits, mais nos tempes. C'est une exaltation toute artificielle et surtout, toute imaginaire. C'est comme une robe de paillettes qui, aveuglante sous les feux de la rampe, devient terne dans l'obscurité de la loge et, de toute manière, cache un être dont le bonheur et la vie sont souvent loin d'être brillants. Mais il serait faux de dire que la gloire n'a pas ses douceurs, même si elles sont illusoires, ou tout au moins artificielles.

En 1961, on m'appelait le James Dean en jupon. J'avais des voitures sport... Je roulais dans la vie comme sur une grande avenue. Et je roulais sur l'or, enfin presque, car mes spectacles et mes disques me rapportaient beaucoup d'argent. De l'argent dont, depuis ma naissance, j'avais toujours été privée et dont la possession me grisait. La possession... C'est une façon de parler, car en fait, je ne gardais pas longtemps mon argent en ma possession. Si j'ai beaucoup aimé l'argent, ce ne fut jamais en avare, mais pour ce qu'il me procurait, et dans l'immédiat. En fait, je dépensais mon argent souvent aussi rapidement et parfois plus rapidement que je l'avais gagné. Je flambais parfois en une seule journée ou en une seule nuit, devrais-je dire, — car j'étais devenu un oiseau de nuit, — ce que j'avais gagné en une semaine. Longtemps privée de tout, parfois presque du nécessaire, je ne me privais plus de rien, je ne m'interdisais aucun caprice, aucune fantaisie. La vie, qui m'avait si longtemps été rebelle, m'était soudainement devenue docile. On eût dit que pour elle mes moindres désirs étaient devenus des ordres. Avec une de mes voitures, je remportai un trophée dans une course organisée par Jacques Duval. Et sans doute était-ce parce que d'une certaine façon j'avais l'habitude des courses, car ma vie était une sorte de course, course vertigineuse qui, je le croyais à cette époque, devait me mener loin, très loin, mais dont je m'aperçois aujourd'hui qu'elle ne menait nulle part, ou en tout cas pas bien loin... Car en courant après la gloire, on s'oublie soi-même, on oublie les vraies valeurs. Sans m'en apercevoir, j'étais à moment-là en train de «réussir dans la vie» mais de «rater ma vie». Je dépensais avec prodigalité, sans compter, beaucoup d'argent, mais, en même temps, je dilapidais ma vie, je me vidais de mon être.

La foule se pressait autour de moi, mes admirateurs se multipliaient, j'étais adulée, choyée. Et, bizarrement, je me sentais de plus en plus seule, car lorsque je revenais chez moi, le soir, je me retrouvais seule, d'autant plus seule, on aurait dit, que l'ovation avait été grande, que l'assistance avait été nombreuse. Et lorsque j'enlevais mes habits d'apparat, je redevenais une femme comme une autre. Je «redevenais», je devrais dire que je m'apercevais que j'avais toujours été une femme comme une autre et que, simplement, pendant quelques heures, je l'avais oublié. En grand nombre, des gens gravitaient autour de moi, comme autour d'un soleil, mais d'un soleil dont la lumière était artificielle... Je dis soleil, mais je devrais dire lune... Car comme la lune, ma lumière me venait d'ailleurs, peut-être précisément de l'admiration dont on m'entourait. J'étais une étoile, resplendissante de l'extérieur, mais au fond une étoile morte, ou du moins à l'agonie. A l'agonie, ou condamnée, car le premier cognac que m'avait offert Roger Mollet ne m'avait pas désaltérée. Au contraire, car celui qui boit est comme un naufragé sur la mer: l'alcool est comme l'eau de mer, qui est salée, et qui donne la soif au lieu de désaltérer. L'erreur du naufragé est de boire une première gorgée d'eau salée. Sa soif, au lieu d'être apaisée, s'accroît, devient insupportable. L'erreur de l'alcoolique est de prendre le «premier verre». Pour un alcoolique, la vie, c'est inévitablement la mer à boire... Je buvais de plus en plus, avant le spectacle, pour chasser mon trac, et après, pour fêter... Car si l'occasion fait le larron, pour celui qui boit, tout est occasion pour boire...

La vie est une succession de prétextes pour prendre un verre...

C'est à cette époque que je gagnai un Disque d'Or décerné à la chanteuse la plus méritante. J'ai dit que j'étais adulée. Je ne mentais pas, car grâce au sens de l'organisation de Jean Lorrain, j'avais le plus gros fan-club du Québec. Je me rappelle, d'ailleurs, le matin où je reçus ma première lettre d'admirateur. Elle était signée: Daniel Guérard. J'étais folle de joie. J'eus aussi des admirateurs moins charmants. En 1962, alors que j'avais pris la direction de la boîte à chanson du Café St-Jacques, un soir, se présenta Monsieur Cotroni et sa bande. Il s'assit à la première table, juste devant la scène, et commanda à boire. Mais au moment de payer, il dit au garçon qui l'avait servi: «Mettez ça sur le compte de Ginette Ravel». Inutile de dire que le garçon qui, comme la plupart des gens autour de lui avait reconnu son célèbre et sinistre interlocuteur, était dans ses petits souliers. Tout énervé, et ne sachant que faire, il vint me trouver et me fit part de la demande, — je devrais dire de l'ordre — de Monsieur Cotroni. Ordre auquel je ne voulus pas obéir. «Il n'en est pas question!» répondis-je. Désemparé, le garçon alla alors trouver le propriétaire François Pilon qui, voulant éviter de froisser la susceptibilité d'un homme aussi «susceptible» que Monsieur Cotroni, vint m'expliquer, avec toute la diplomatie dont il était capable, que ça ne se faisait pas de dire non à un tel client, qu'il ne s'était jamais rien fait refuser. Je lui répondis: «Eh bien, s'il ne s'est jamais fait rien refuser, ce sera la première fois. Y'a un commencement à tout, non?»

François Pilon admit sans doute qu'il y avait un commencement à tout mais craignit aussi que, pour moi, pour lui et son cabaret, ce ne fût le commencement de la fin. Dans des souliers encore plus petits que celui du garçon, avec des gants blancs qui lui couvraient les bras en entiers, et le visage rouge de gêne, il alla expliquer à Monsieur Cotroni que la petite personne qui se trouvait sur scène et qui s'appelait Ginette Ravel refusait de payer la note. Il n'en revenait pas. Mais il ne revira pas tout à l'envers et ne s'en alla pas non plus. A quelques occasions dans la soirée, il réitéra sa demande. Mais je lui tins tête jusqu'à la fin. Il vint me trouver avant de partir, et me félicita de lui avoir résisté. Ce qui, m'avoua-t-il avec un sourire, ne lui arrivait pas souvent, et pour mieux dire, jamais, enfin jamais si longtemps. Cette nuit-là, comme les autres, je fêtai mon triomphe avec de la vodka et du jus d'orange. Et, comme presque toutes les nuits, au lieu de dormir, je passai mon temps à vomir, non seulement de la vodka, mais aussi du sang. Je passais d'ailleurs souvent le lendemain de la veille age- nouillée près de la toilette à attendre de rendre tout ce que j'avais ingurgité pendant la nuit. Mais l'esclavage de la boisson est si puissant que malgré ces douloureux vomissements, lorsque j'arrivais à la boîte, vers huit heures, je prenais mon double, et la ronde infernale recommençait...

En mars 1963, ma carrière connut une nouvelle consécra- tion lorsque je remportai, en même temps que Gilles Vignault, le Grand Prix du Disque CKAC, avec mon microsillon intitulé : «L'amour, c'est comme un jour». Chanson d'Aznavour que, en mai 1964, je chanterai en Espagne, à Barcelone. L'été précédent, Télé-Métropole m'avait confié une série d'émission intitulée : «Avec une chanson». Je me souviens que le thème de l'émission était un extrait des «Enfants du Pyrée», qui avait été un de mes grands succès. Ce thème initial accompagnait un film dans lequel on me voyait faire de la voile sur le Saint- Laurent et de l'auto sport sur le Mont-Royal. Le décor était une boîte à chanson dans une cave en pierres.

C'est cette année que je commençai vraiment à voyager. Je connus d'abord Paris. Paris, ville de rêve, ville de lumière, mais aussi ville d'illusions. J'étais partie le coeur en fête, avide de découvrir des horizons et des êtres nouveaux. J'avais mon dernier disque sous le bras : «Demain tu te maries». Si je savais quand je partais, je ne savais pas quand je reviendrais. Mais je partais sur un paquebot prestigieux: le France, avec des rêves plein la tête... La traversée fut merveilleuse. Le champagne coula à flot... J'avais confiance en mon étoile... Au Havre, la presse française nous attendait. Georges Descônes avait fait la traversée avec moi. Il revenait des Etats-Unis, où il était allé tourner une série documentaire pour la deuxième chaîne française. On m'accueillit assez chaleureusement. J'étais la petite Canadienne venue conquérir la vieille Europe.

Le lendemain, je prenais le train pour Paris, où, sur le quai de la gare, m'attendait un admirateur québécois, un petit bouquet de fleurs à la main. Il s'appelait Jacques Dufour. Notre amitié fut immédiate. Pendant le début de ce bref séjour avec moi, il resta toujours avec moi. Nous riions ensemble, nous pleurions ensemble, nous buvions ensemble... Nous chantions dans le métro, Jack Monoloy... Nous mangions à la bohème, du pain et du vin... Et nous nous racontions des tas d'histoires...

Quelques jours avant Noël, nous avions réservé des places pour réveillonner sur le bateau-mouche. Nous étions dans ma chambre, à écouter des disques de Noël, qui distillait en nous une douce nostalgie du pays. Soudain, nos regards se croisèrent. Et on éclata en sanglots en même temps. Notre nostalgie d'un Noël sous la neige, avec les sapins et les Laurentides, était si forte que nous ne pouvions retenir nos larmes. Et elle était si forte que, très égoïstement, je pris la brusque décision de m'en revenir au pays pour y passer les Fêtes et je laissai tomber mon pauvre ami. Je crois cependant qu'il comprenait bien mes raisons et qu'il ne m'en voulut pas. Je ne tardai d'ailleurs pas à retourner en Europe où je chantai à l'Echelle de Jacob. C'est là que je rencontrai Charles Dumont, qui avait écrit une chanson qu'Edith Piaf n'avait pu chanter: «Encore une histoire d'amour», qui allait faire un gros succès à la Comédie Canadienne. «Encore une histoire d'amour» allait devenir un des titres d'un album double enregistré justement à la Comédie Canadienne en 1964 et qui a été d'ailleurs le plus gros vendeur à l'époque.

Aznavour a chanté Paris au mois d'août. Pour ma part, il me fut particulièrement doux au début du mois de mai. C'est que Pierre Marcotte, avec qui je vivais depuis deux ans et demi, vint me rejoindre à Orly sans, du reste, que personne ne le sache. Il avait fait son voyage incognito, ou à peu près, un peu comme nous avions réussi à vivre à Montréal, à l'insu du Tout Montréal, avant que notre vie ne soit livrée en pâture à la curiosité publique. J'avais fait la connaissance de Pierre à Québec, dans un studio de CHRC, où il travaillait. Nous étions devenus amis très tôt, mais sans plus. Il venait souvent nous voir, Paolo et moi, sur notre voilier. Au moment de ma séparation d'avec Paolo, je demandai à Pierre, par crainte de la solitude, de rester avec moi. Notre amitié ne tarda pas à prendre une nouvelle dimension. A l'arrivée de Pierre à Paris j'avais déjà quitté Saint-Michel et St-André-des-Arts pour un studio très chouette à Belleville, au septième étage d'un immeuble neuf. Nous disposions d'un appartement somptueux, avec meubles Louis-Philippe et tout le tra-la-la... Chose encore si inhabituelle pour moi, luxe si prestigieux que les premiers jours, je ne fus pas certaine si je rêvais ou non... Pierre, qui, était dans une forme superbe, — au point que moi d'habitude si pimpante, et aussi pompette, j'avais peine à le suivre le jour et aussi... la nuit, — avait un mois de vacances dont il entendait bien ne pas perdre un jour. Un des premiers matins, se levant tout fringant, après une nuit qui en eût tué beaucoup d'autres, il réussit à me lever, après m'avoir brassée pendant de longues minutes et m'annonça qu'il venait de décider de faire la Côte d'Azur. La Côte d'Azur, après le septième ciel de l'amour... l'idée m'enthousiasma. Pierre loua un scooter, et en avant l'aventure! En avant le bonheur, les folies, les plaisirs, le soleil, la mer, le sable chaud... Nous étions comme des collégiens en vacances. Après la Côte, comme il nous restait encore du temps, on décida de pousser une pointe vers l'Italie. Ce départ s'était décidé précipitamment. Et, la veille, nous avions fêté au champagne. Il nous fallait prendre le train à huit heures, le matin. A sept heures, j'étais encore ronde comme un oeuf, et les bagages n'étaient pas encore faits. Je n'ai jamais fait de bagages aussi rapidement de toute ma vie. Et je riais, je riais, je riais, sans pouvoir m'arrêter, prise d'un fou rire irrésistible comme j'en connaissais souvent, trop souvent sans doute, au goût de mes amis, qui ne les appréciaient pas toujours. Pierre, qui ne se rendait pas compte à quel point j'étais éméchée, m'avait très imprudemment confié la garde de l'attirail professionnel de caméras que lui avait prêté notre ami Jacques-Charles Gilliot. A la gare, le train s'apprêtait à partir. Pierre m'avait installée sur le quai, tout juste à côté des caméras et courut pour se renseigner au sujet des bagages. Mais il était trop tard pour les déposer, il fallait les traîner avec nous. Ce qui n'aurait pas été si mal si je n'avais pas oublié de les traîner. Car lorsque Pierre revint, le train était déjà en marche; il y sauta, me cria d'y sauter, et, après que les porteurs aient eu fini de lui lancer ses bagages, il me demanda où diable j'avais mis les caméras. En passant la tête par la fenêtre, on s'aperçut que je les avais oubliées sur le quai. Inutile de dire que cette constatation mit Pierre dans tous ses états. Moi, incapable d'apprécier la gravité de l'incident, je riais sans cesse, à la grande exaspération de Pierre qui se demandait comment il allait pouvoir récupérer les caméras et surtout, ce qu'il dirait à son ami Jacques-Charles dans le cas où les caméras seraient perdues. Pour ma part, tant d'émotions en si peu de temps, et surtout la nuit blanche que nous avions passée, firent que je ne tardai pas à m'endormir. Et la première fois que je m'éveillai, nous étions déjà rendus en

Suisse. Et les belles montagnes et le ciel bleu entrèrent dans ma tête comme les décors somptueux d'un rêve nouveau. Puis ce fut l'Italie, et Rome, le Colisée, Saint-Pierre, mais surtout ces «trattoria», ces restaurants sympathiques, où le vin délicieux et modique vint arroser copieusement tous les repas. Mais surtout, notre amour, notre amour toujours identique dont les différentes villes étaient autant de décors, notre amour fou, notre amour exalté... Il y eut Venise, la Place Saint-Marc, le Pont des Soupirs... Ce voyage était un peu comme un voyage de noce anticipé... A notre insu d'ailleurs, car à ce moment, ni Pierre ni moi n'avions en tête l'idée de nous marier... Pour ma part, le mariage m'effrayait... Je n'en voyais pas les avantages et ses inconvénients m'apparaissaient trop évidents et surtout trop nombreux. Il y avait surtout une chose que je craignais de perdre en me mariant, une chose à laquelle j'attachais une valeur infinie et qui, même, me paraissait la condition sine qua non du bonheur: la liberté. La liberté qui, depuis que j'avais quitté ma famille, m'exaltait tant, peut-être précisément parce que j'en avais été si longtemps privée.

Mais, sans trop que je comprenne quelle bizarre métamorphose s'était opérée en moi, Pierre venait à peine de quitter Paris, — où j'étais restée, — pour retourner à Montréal, que sans trop y réfléchir, sous le coup d'une impulsion soudaine, je lui téléphonai et lui demandai de but en blanc: «Est-ce qu'on se marie?» Il me prit au mot et se contenta de répondre: «Oui.» Je ne sais ce qui m'avait pris. Peut-être était-ce parce que la liberté que Pierre m'avait laissée en repartant pour Montréal m'était trop lourde à porter. Le mariage a ses servitudes mais la liberté aussi, dont la principale est la solitude, solitude parfois douce, parfois souhaitée, mais souvent aussi cruelle, très cruelle. J'annulai mes engagements prévus pour l'été sur la Côte, rentrai à Montréal et, quinze jours plus tard, le 13 juin, j'étais mariée, pour le meilleur et pour le pire, comme on dit. Peut-être d'ailleurs plus pour le pire, car le mariage ne m'avait pas guérie de mon alcoolisme ni de mont goût de liberté, de ma frivolité. Et puis, au lieu d'être si impulsive, j'aurais peut-être dû réfléchir davantage avant de me marier. Pierre m'a dit, il n'y a pas très longtemps : «Tu t'es mariée sur une dépression nerveuse!» Et je crois qu'il n'était pas loin de la vérité. Il faut dire, aussi, à ma décharge, que le mariage, grande source d'illusions, réserve à presque tout le monde des déceptions, et d'autant plus amères que les illusions ont été grandes. On prête au mariage trop de vertus, du moins avant de se marier, et on en n'imagine pas assez les inconvénients, ni, du reste les avantages, car il est certain qu'il en présente aussi. Et si aujourd'hui on me demandait la cause de l'échec de mon mariage, je n'hésiterais pas à répondre: mon alcoolisme et mon manque de maturité.

Mais une chose est certaine, c'est que même si mon mariage occasionna certaines frictions, il ne ralentit pas ma carrière qui, au contraire, prit un élan nouveau et surprenant. Mes disques se succédaient de même que mes spectacles. Je fis aussi de la télévision et, entre autres choses, une continuité avec Pierre: «A la Catalogne». J'étais très en demande. Et ce qu'il y a de surprenant, de paradoxal et, en apparence, d'impossible, c'est que j'attirais autant de spectateurs dans les cabarets où je passais comme, par exemple, la Casa Loma, que dans des boîtes à chanson aussi intellectuelles que Le Patriote. Phénomène qui déconcertait d'autant plus que, sauf erreur, j'étais la seule à accomplir cette espèce d'exploit.

Mais à mesure que mon ascension vers la gloire se poursuivait, ma descente aux enfers se dessinait avec de plus en plus de précision. Malgré mes succès de plus en plus nombreux, quoique je n'avais jamais encore rencontré un véritable échec qui aurait pu justifier une telle intempérance, un tel désespoir, je buvais tellement que, bientôt, mon organisme, déjà éprouvé depuis longtemps, se mit à manifester des signes de révolte. Le traitement que je lui imposais lui était devenu insupportable: le vase débordait, c'est le cas de le dire. J'avais commencé à faire des crises de delirium tremens. La nuit, après avoir bu mon quarante onces, — qui était devenu une sorte de rituel après chaque spectacle, — incapable de dormir, je restais étendue sur mon lit, du moins lorsque j'avais réussi à le gagner, et, souvent pendant des heures, j'étais secouée de tremblements, j'avais des convulsions, des sueurs froides, et, comme on rend à César ce qui est à César, je rendais à la bouteille ce qui était à la bouteille: je vomissais. Ma conscience à tout bout de champ vacillait. J'avais des frissons et des étourdissements. Il me semblait à tout instant que j'allais m'évanouir. Souvent, même, dans les moments de convulsions les plus forts, il me semblait que mon organisme épuisé ne résisterait pas davantage et que j'allais mourir. Perspective qui m'effrayait parfois mais aussi parfois me réjouissait: j'étais si mal, je souffrais tant que je ne pouvais m'empêcher d'espérer n'importe quelle soulagement, vînt-il de la mort. Dans mes moments de délire aigu, j'en venais parfois à halluciner. Je me souviens d'un soir particulièrement, j'étais dans ma loge, couchée sur un espèce de grabat, lorsque surgirent autour de moi, menaçants, d'horribles cochons roses déguisés en policiers. Et, dans une danse macabre et grotesque, ils me dévisageaient, avec des yeux horribles et vindicatifs. On aurait dit qu'ils me jugeaient et me condamnaient, moi, impuissante et faible, déjà condamnée depuis longtemps, depuis ma naissance peut-être. Désespérée, incapable de supporter davantage la vue de ces porcs immondes et d'autant plus effrayants que je n'étais pas certaine qu'ils fussent illusoires, je détournais les yeux. Je regardais mon grabat ou le plancher. Mais ils étaient encore là, grimaçants, affreux. Je regardais au plafond. Ils étaient toujours là, implacables. Je fermai les yeux, mais en vain. Ils continuaient à me poursuivre. Je rouvris les yeux et me mis à me débattre, à battre l'air des bras, de toutes mes forces. Mais ils ricanaient de mon impuissance. Je me débattais toujours, et je hurlais pour chasser ces porcs odieux, lorsqu'entra dans ma loge une de mes tantes, qui était venue assister à mon spectacle. Je crus d'abord à une autre hallucination, je crus que ma tante était une nouvelle figurante du spectacle macabre qui me hantait. Mais, en m'apercevant, elle comprit immédiatement ce qui m'arrivait et s'approcha très lentement de moi, avec une mine on ne peut plus douce et très rassurante. Malgré la honte que j'éprouvais à être surprise dans un état si lamentable, j'étais rassérénée, en partie du moins, car mes hallucinations, quoique moins violentes, n'avaient pas cessé. Pleine de commisération, malgré l'odeur infecte que répandaient mes vêtements détrempés par mes vomissements successifs, ma tante me parla doucement, avec beaucoup de compréhension. Elle me lava le visage, me peigna, m'aida à changer de vêtements et, évidemment, elle ne manqua pas de me sermonner. Elle tenta de me dissuader de boire. Devant mon silence, qui ne paraissait pas le signe de mon approbation, elle me dit, avec dans la voix du dépit, et aussi une pointe de menace: «Quand tu auras assez bu, tu t'arrêteras.» Ce dont je convenais, évidemment. Mais quand viendrait le jour où j'aurais assez bu? That was the question! Et j'étais également incapable d'arrêter de boire, même si j'avais toutes les raisons du monde de le faire. Car l'alcool a ses raisons que la raison ne connaît pas... La bouteille est un bagne et boire, c'est des travaux forcés. Quand on commence à boire, la plupart du temps, on a pris un billet pour l'aller mais non pour le retour... Un billet pour une destination qu'on ne connaît pas au début, mais qui, avec le temps, se précise peu à peu: la déchéance de l'être, le délire, la mort. Ce qui est terrible dans l'alcoolisme c'est que, la plupart du temps, c'est un chemin sans retour. C'est une spirale descendante qui mène aux bas fonds de l'être et de l'existence.

Ma tante, comme plusieurs autres avant elle, avait tenté de me raisonner. Moi aussi d'ailleurs. Au cours de chaque crise, je me promettais de ne plus jamais boire. Mais le lendemain, j'oubliais mes promesses. J'oubliais aussi mes souffrances qui, d'ailleurs, me semblaient bien pâles à côté de celles que la tentation d'un premier verre me réservait. Je cédais bientôt à la tentation du premier verre, du verre fatidique auquel on ne sait pas résister mais qu'on ne devrait jamais boire car pour un alcoolique c'est le commencement de la fin. Prendre le premier verre, c'est ouvrir l'écluse à la bouteille complète. J'étais sincère pourtant lorsque je promettais de ne plus retoucher à l'alcool. Mais dès que j'étais dégrisée, ma sincérité s'évanouissait: il est facile de promettre qu'on ne boira plus quand, devant nous, la bouteille est vide, mais lorsqu'elle est encore pleine, attirante, c'est une autre paire de manches!

Si les chansons que je me chantais pour cesser de boire ne connaissaient pas beaucoup de succès, celles que j'endisquais à l'époque en connaissaient beaucoup, telles: «La Mamma» d'Aznavour, «Plus je t'entends» d'Alain Barrière, «Dis quand reviendras-tu?» de Barbara.

J'ai dit que malgré toutes les bonnes raisons que j'avais pour le faire, j'étais incapable d'arrêter de boire. En fait, ce n'est pas tout à fait juste. Même si ma volonté était considérablement affaiblie, elle n'était pas encore morte. Et quand vint le temps de faire cette chose extraordinaire que je n'avais jamais faite avant, la Comédie Canadienne, je me dis qu'il me fallait absolument arrêter de boire si je voulais passer au travers. Et, à ma propre surprise, je réussis à être sobre tout un mois. C'était un défi que je ne croyais pas pouvoir relever. A la Comédie Canadienne, le succès que je remportai toute une semaine dépassa toutes mes espérances et aussi, bien entendu, celles de mon ami et mana-ger, Guy Latraverse, qui n'en revenait pas et, à l'en croire, n'avait encore jamais vu ça. Il m'assura même que si la salle avait été libre, on aurait pu y ajouter des supplémentaires. Tout le monde était enchanté et surpris, et moi la première. Et quand, par exemple, Michel Gélinas, qui était alors directeur de la Comédie Canadienne, me remit mon chèque pour la semaine, il n'avait pas l'air d'y croire vraiment lorsqu'il dit: «Je m'excuse de n'avoir pas cru en vous lorsque vous êtes venue dans mon bureau. Je dois vous dire que c'est le plus gros montant que je remets cette année.» C'est aussi le plus gros montant que je recevais. J'étais folle de joie, j'étais exaltée, j'étais fière surtout d'avoir accompli cet exploit sans précédent, puisque j'étais la première chanteuse populaire du Québec à remplir la Comédie Canadienne une semaine complète.

Au cours de la tournée en province qui suivit, je connus un succès aussi extraordinaire. Claude Léveillée, dont c'était aussi l'année, me devançait et remplissait ses salles. Quand j'arrivais après lui, je remplissais les salles, et il fallait même placer des chaises dans les allées. C'était inouï, inimaginable! Je n'avais jamais espéré tant, même dans mes rêves les plus ambitieux, même dans mes rêves les plus fous.

Mais alors que j'atteignais le sommet de la gloire, mon mariage s'effritait, ma vie se brisait. Dans les petits journaux, on écrivait: «Rupture entre Ginette Ravel et Pierre Marcotte». Ce n'était pas tout à fait vrai, ce n'était pas tout à fait faux. Nous étions toujours ensemble, mais depuis longtemps, ce n'était plus comme avant. Il y avait dans notre amour quelque chose d'artificiel, de faux. Nous jouions maintenant «par coeur» une pièce que nous avions jouée «avec coeur» au début. Notre amour était déjà une vieille habitude. Nous n'étions plus que deux solitudes, deux solitudes inaccessibles l'une à l'autre. Entre nous, avec le temps, s'était peu à peu élevé un mur de silence et d'indifférence que les banales et mécaniques paroles du quotidien n'arrivaient pas à ébranler. Car les paroles mécaniques ne sont au fond qu'une autre forme du silence: elles ne veulent plus rien dire. Mur d'indifférence, mais aussi de rancune, car nos disputes étaient de plus en plus fréquentes, nos brouilles de plus en plus longues. Mais quelque chose nous retenait, une force, celle de l'habitude, celle du devoir peut-être, pour notre fils, Pascal, qui était encore tout jeune. D'un commun accord, on décida cependant bientôt qu'une séparation provisoire serait peut-être salutaire et permettrait peut-être à notre amour de se vivifier. Je partis donc avec mon fils Pascal et notre gouvernante pour Puerto Rico, havre de paix et de repos par excellence. Il était convenu que Pierre devait venir nous rejoindre, deux semaines plus tard. Nous fîmes le tour des îles: Saint-Thomas, La Jamaïque, Haïti, La Guadeloupe. Mais ces vacances étaient loin d'être comme nos premières vacances. Certes, il y avait de bons moments, mais nous nous disputions constamment: tout ce qui auparavant avait été prétexte à rire, à plaisanteries, était maintenant prétexte à engueulades interminables, à scènes déchirantes. Pourtant, extérieurement, rien ne semblait manquer à notre bonheur. Nous étions jeunes, nous étions beaux. Mais le rêve était fini, le rêve sans lequel l'amour n'est rien, le rêve sans lequel la vie n'est rien, rien d'autre que la mort. Le lieu de notre séjour avait pourtant de quoi faire rêver: nous nous étions installés dans une suite très luxueuse d'un des hôtels les plus chics de Puerto Rico. Notre balcon donnait sur la mer. C'était féérique, paradisiaque. Nous vivions à la musique de la mer. Nous nous couchions, nous nous levions au son des vagues. Pour moi, qui, depuis mon enfance, était habituée à m'endormir, ou plutôt à essayer de m'endormir et à m'éveiller au son plus ou moins harmonieux des klaxons et des crissements de pneus, c'était l'enchantement, un enchantement que je peux difficilement décrire.

Mon amie, Claudette, qui faisait une partie du voyage avec nous, partageait cet enchantement. Elle n'en revenait pas, même, et elle ne cessait de répéter: «Ce que c'est beau d'entendre la mer, ce que c'est beau...» Et c'était beau, car la mer, c'est comme la vie, la vie infiniment offerte à chaque vague... C'est le déchaînement de la passion, la tempête, mais c'est aussi le calme, la sérénité... La mer, c'est l'infini enfin offert...

Quelques jours après notre arrivée, on décida de louer une voiture assez «flashante», il faut l'avouer et qui satisfaisait cette tendance au «m'as-tu-vu» à laquelle résistent difficilement les vedettes: une grosse décapotable blanche avec intérieur rouge.

Malgré le site enchanteur qu'offrait notre hôtel, on décida de déménager. C'est que nous avions dénicher, dans un petit village à environ 45 milles de Puerto Rico, El Fajardo, un hôtel extra: El Conquistador.

Claudette et moi, on ne manqua pas de profiter de la liberté que l'absence de mon mari nous permettait. Je me souviens d'une soirée en particulier, qui, si elle avait bien commencé, avait plutôt mal fini. Nous avions couché Nani, la gouvernante, et le bébé, et nous étions parties avec deux «boyfriends». Nous avions bu toute la soirée, évidemment, et nous étions passablement ronds, même très ronds... Et, sur le chemin du retour, il nous arriva quelque chose d'étonnant... J'étais assise sur la banquette arrière et je «flirtais» mon jeune ami, lorsque je me sentis soudain bousculée par un roulis étrange, comme si j'avais été sur un bateau et non en auto... Mes réflexes étaient encore rapides, malgré tout l'alcool que j'avais ingurgité, car je compris bientôt ce qui nous arrivait, et, en un bond, j'étais hors de notre somptueuse décapotable, debout sur un quai... Sur un quai, oui, et je riais comme une vraie folle, avec mon jeune ami qui m'avait rejointe juste après. Nous riions de mon amie et de son ami, tous deux paralysés de peur, toujours dans la voiture qui se trouvait en pleine mer des Caraïbes. C'est que Claudette, «pompette» sur les bords, avait tout simplement perdu le nord et, au lieu de s'engager sur le quai, s'était engagée sur une voie imaginaire: elle avait été trompée par le reflet dans la mer des lumières du quai. Toujours au volant, elle était blanche de peur, aussi blanche que la belle carrosserie de notre décapotable, et elle criait à tue-tête: «Ginette, Ginette qu'est-ce que je vais faire?» Elle et son ami avaient peur de bouger, de crainte que l'auto ne chavire. J'étais incapable de lui répondre, mon fou rire irrésistible ne se calmait pas. Cependant, son jeune amoureux réussit à la rassurer et, très doucement, en prenant garde que l'auto ne verse, arriva à l'escorter jusque sur le quai où, là, enfin soulagée, elle se mit aussi à rire, du même rire nerveux que le mien. Nos cris et nos rires avaient attiré des curieux, en fait presque le village entier qui, malgré qu'il fût trois heures du matin, s'était rapidement attroupé sur le rivage et nous regardait, sans comprendre ce qui se passait. Nous étions comme des phénomènes, presque des habitants d'une autre planète. Et, bien des jours après cet incident, je devrais dire accident, on fut le sujet de conversation de tout le village: chacun y allait de son interprétation, de sa petite histoire.

Comme convenu, Pierre vint me rejoindre pour la fin du voyage. Me rejoindre... Physiquement seulement, car sentimentalement, il y avait belle lurette que nous ne nous rejoignions plus... Ou seulement occasionnellement, de plus en plus rarement... Notre ciel depuis longtemps était nuageux et le soleil perçait rarement, et la tempête dévastatrice était proche...

Le temps passait et rien ne semblait pouvoir réchapper notre amour. Les amours mortes jamais ne renaissent... Les plus grands amours laissent souvent en héritage l'indifférence ou l'oubli. Nous vivions encore ensemble, mais un à côté de l'autre, comme deux étrangers, deux étrangers qui s'efforçaient d'être polis l'un pour l'autre et qui n'y arrivaient même pas toujours. Il faut dire que, pour ma part, je n'aidais pas notre cause... Mais à quoi bon aider une cause qui semble perdue d'avance, qui semble perdue depuis longtemps? Pierre supportait de plus en plus difficilement mes beuveries et surtout les frasques qu'elles entraînaient... Car boire ne serait rien si cela n'entraînait pas les crises de larmes et de rires, les folies, les inconduites détestables, la frivolité...

J'ai dit que j'avais atteint le sommet de la gloire en 1966, lors de mon spectacle à la Comédie Canadienne et tout au long de ma tournée en province qui l'avait suivi. Le sommet de la gloire n'est pas un plateau, c'est un pic, une aiguille où l'on ne se maintient pas longtemps. En tout cas, pour ma part, l'apothéose fut brève, et aussi décevante. Après elle, je ne fis que redescendre, redescendre vers l'abîme qui s'ouvrait devant moi, terrible et fascinant. En 1967, à l'Exposition Universelle de Montréal, je chantai au Pavillon Canadien. A Montréal, c'était la fête: pour moi c'était le cauchemar, un cauchemar de plus en plus sombre... En 1968, il y eut la Place des Arts que je fis en compagnie de mon bon ami Jacques Michel qui venait parfois à Deauville avec sa femme Claire et chantait ses nouvelles chansons devant la cheminée. C'est d'ailleurs un de ces soirs que je lui proposai de participer à mon spectacle. Peut-être par reconnaissance, il m'écrivit pour le spectacle une très belle chanson intitulée «Mon Vieux château», que nous avons interprétée en duo et qui connut beaucoup de succès. Mais ce fut en quelque sorte une exception, l'exception qui venait confirmer la règle, la règle bien cruelle de l'échec. Pas un échec complet, en fait, pas un fiasco, mais un demi-échec au moins, car pour sa part, Jacques Michel avait fait très bonne figure. Mais moi, je n'étais plus «dedans», j'avais des blancs de mémoire très nombreux, et je devais avoir constamment en coulisse un souffleur qui me sauvait du désastre. Dans la salle, ce n'était pas un four, mais il faisait chaud par moments. En tout cas, moi j'avais souvent chaud, surtout lorsque, dans un moment de défaillance de mémoire, j'étais incapable d'entendre ce que murmurait le souffleur et j'étais obligée d'improviser des paroles de remplissage... J'en étais souvent réduite, paralysée que j'étais par l'énervement, à marmonner des mots plus ou moins compréhensibles qui se terminaient cependant par la rime salvatrice. Le public sentait que je n'étais plus la même, que quelque chose en moi avait changé: je n'étais plus la vraie Ginette Ravel: je n'en étais plus qu'une pâle imitation. Pâle et sombre.

A cette époque, il y eut également un autre événement d'importance dans ma vie ou plutôt dans ma carrière, car il y avait maintenant longtemps que les deux ne faisaient plus bon ménage, et suivaient des voies différentes. Cet événement, ce fut le festival de Sopot en Pologne. Nous avions été reçus très chaleureusement par les organisateurs. Et nous étions nerveux, très nerveux, autant mon pianiste-accompagnateur, Pierre Nolès, que moi-même. Nous étions aussi très curieux de découvrir la Pologne, surtout qu'on nous avait prévenus de prendre la précaution d'apporter notre papier de toilette personnel. Avertissement qui n'avait évidemment pas manqué de nous intriguer. Mille questions surgissaient dans notre esprit. Où allions-nous? Qu'est-ce qui nous attendait là-bas? Dans une ville où il fallait apporter son propre papier de toilette? Serions-nous logés convenablement au moins? Aurait-il fallu apporter son oreiller aussi? Toutes nos craintes s'évanouirent lorsqu'on vit l'hôtel somptueux dans lequel nous serions hébergés pour la durée du festival. Ce fut un soulagement. Et le premier qui alla à la toilette comprit pourquoi il avait fallu apporter son papier: ce n'était pas qu'il n'y en avait pas, mais parce que celui qui était disponible était du véritable papier sablé, une sorte de gros papier crêpé, grisâtre, roulé à la main, et que, pour fêter notre arrivée, on déroula comme une banderole.

L'accueil, lui, fut plus raffiné. Très raffiné même. Entre les répétitions, nous étions conviés à de véritables banquets, des banquets où le caviar couvrait littéralement les tables, un caviar exquis, unique, dont nous nous gavions comme s'il s'était agi de fèves au lard. Nous nous en faisions des tartines prodigieuses, nous le mangions à la cuillère, je devrais dire, à la pelle, surtout Pierre Nolès qui, quoiqu'il n'eût jamais été grand amateur, était friand du caviar polonais. Il s'en vautra d'ailleurs au point d'en être malade, et joliment. En outre, la vodka coulait à flot. C'était une vodka un peu spéciale, que je n'avais jamais vue auparavant et dont la nouveauté et la saveur m'enthousiasmèrent. Une vodka brune, comme du rhum, et qui, nous expliqua un baron qui s'était spontanément lié d'amitié avec nous, était préparée dans une cuve qui ressemblait à un bain. Il nous apprit également quelque chose de surprenant et aussi, de dégoûtant, sur sa fabrication: dans cette cuve qui ressemblait à un bain, on jetait des restants de table qui fermentaient. Surprenante origine pour une si délicieuse boisson. Origine qui, le dégoût premier passé, ne nous enleva pas le goût de boire. Surtout que les Polonais étaient des gens d'une grande jovialité, ne cessaient de porter des toasts à tout propos, au point que nous en avions le bras fatigué à la fin du repas. Et même les enfants s'en mêlaient. Ils avaient, eux, un sens très aigu de la famille et portaient des toasts à la santé de leur père, puis de leur mère, de l'oncle un tel, de tante une telle...

Je sortais la plupart du temps des repas à demi-ivre, si bien que les répétitions étaient plus ou moins sérieuses. J'étais en forme pourtant, en fait, bizarrement, plus qu'à la Place des Arts. Même si je buvais autant, j'avais une sorte de second souffle, un regain de toutes mes facultés que mon régime de vie trépidant avait déjà affectées.

Le concours durait trois jours. Le premier jour, le spectacle alla très bien. Je reçus une ovation très chaleureuse de la foule. J'eus même un rappel. Ce me fut une surprise très agréable. Mais le lendemain, une surprise moins agréable nous attendait. En Pologne, la situation politique était soudain devenue sérieuse, le climat social extrêmement tendu. Le pays était en état d'alerte. La Russie venait d'envahir la Tchécoslovaquie, et la Pologne était impliquée dans le conflit. Dans la colonie artistique qui avait été déléguée à Sopot, c'était la panique. Nous étions loin de notre pays, loin de nos parents, loin de tout. Nous étions sans ressources, sans défense, et, par-dessus tout, nous craignions de rester pris là-bas, de ne pouvoir rentrer au pays. Quel sort nous attendait ? Peut-être serions-nous jetés en prison? Dans la matinée, au beau milieu de l'agitation générale, on reçut un télégramme d'Ottawa qui nous demandait de rentrer au pays de toute urgence. Nous achevions de faire nos valises, trop contents d'obéir, lorsqu'on reçut un contre-télégramme qui nous ordonnait de rester: c'était politiquement important. Nous étions devenus les pions de l'échiquier diplomatique canadien. Nous avons obtempéré, mais nous n'étions guère rassurés, et surtout nous n'étions pas convaincus, malgré le télégramme lénifiant et les prières pressantes des organisateurs du concours qui craignaient un «flop». On faillit imiter une chanteuse d'Irlande qui prit ses cliques et ses claques et nous quitta. Mais elle ne tarda pas à revenir, ou plutôt à être ramenée: elle avait été arrêtée aux frontières et escortée très poliment jusqu'à son hôtel. Ce fut un coup pour nous tous. Nous étions vraiment dans nos petits souliers.

L'heure du deuxième spectacle approchait. J'étais extrêmement nerveuse. Je décidai à la dernière minute de chanter une autre chanson que celle qui était prévue: chanson qui, par une singulière ironie du sort, s'intitulait: Je reviens chez nous. Cependant, le soir du spectacle je réussis à oublier ma nervosité et à ne pas oublier les paroles de ma chanson, comme cela m'était arrivé à la Place des Arts. J'ai chanté avec toute mon âme, avec toute l'énergie, l'émotion et l'amour dont j'étais capable. Et ce fut un triomphe. Un triomphe que, le lendemain soir, lors du dernier spectacle, je connus à nouveau en chantant pour la deuxième fois la même chanson: j'avais obtenu une permission spéciale. Et je remportai le deuxième prix du festival, grâce à tout l'amour et tout l'espoir que j'avais mis dans la belle chanson de Ferland, l'espoir bien réel de revenir chez nous...

Le lendemain après-midi, nous avons assisté à un concert très sophistiqué, avec piano et habit à queue. Le pianiste, du reste, très élégant, aurait sans doute joué avec des gants blancs s'il avait pu, tant l'atmosphère était solennelle, guindée. Vers cinq heures moins quart, un peu après la fin du concert, alors que nous ne nous y attendions pas le moins du monde, un garçon vint nous annoncer très sérieusement, presque solennellement, comme s'il s'était agit d'un décès, que Ginette Ravel avait remporté le deuxième prix du festival. Et il me remit un chèque fabuleux de 10,000 zloty et à mon pianiste, Pierre Nolès, un prix de 500 zloty. Nous n'en revenions pas. Mais on revint rapidement de notre exaltation lorsqu'on se rappela que nous partions le lendemain matin à huit heures et que nous devions dépenser tout l'argent de la récompense au pays. Il était impossible d'en sortir à moins que ce ne fût des sommes dérisoires, à titre de souvenir. Je devins toute énervée, je ne savais plus quoi faire. Pierre Nolès, qui était un peu plus calme que moi, s'aperçut alors d'une autre chose: c'est qu'il ne restait plus que quelques minutes avant la fermeture des bureaux où nous pouvions changer nos chèques: il nous fallait absolument les changer le soir même car, le lendemain, les bureaux ne rouvraient qu'à neuf heures. Et à neuf heures, nous serions déjà loin de la Pologne, avec dans nos poches un beau chèque dépourvu de toute valeur. Sans perdre un seul instant, Pierre Nolès, qui réagissait plus rapidement que moi, en tout cas d'une façon plus pratique, se précipita vers un bureau, pour monnayer nos chèques. Il arriva au moment où le comptable s'apprêtait à fermer boutique. Il lui fallut déployer toutes les ressources dont il était capable, sortir le peu de polonais qu'il connaissait, un peu d'anglais et des simagrées à n'en plus finir, avant de lui faire comprendre qu'il lui fallait absolument monnayer nos chèques le soir même, que sinon il serait trop tard. Le comptable finit par accepter. Notre problème était réglé... Notre premier problème, devrais-je dire, car il nous en restait un autre, et de taille, celui de dépenser tout cet argent avant de partir. Plus que cela, même, avant cinq heures, car après, tous les magasins étaient fermés. A nouveau, je paniquai. Mais heureusement, après le concert, il y avait eu une parade de mode, une parade somptueuse d'ailleurs. Pierre Nolès eut un éclair de génie, me prit par le bras et m'entraîna vers la salle d'habillage, où venait de disparaître le dernier mannequin. Là, on trouva de grosses matrones, confortablement assises sur leurs... deux fesses, et qui commencèrent par refuser de nous vendre des robes parce qu'elles étaient dans leur «break». C'étaient les gérantes de la maison de mode. Comme je manifestais mon impatience, elles m'expliquèrent alors que, de toute façon, il était un peu tard et qu'elles fermaient boutique dans quelques minutes. J'entrai alors dans une sainte colère qui les impressionna beaucoup. Elles se levèrent donc et m'ouvrirent les grandes armoires dans lesquelles était remisée toute la collection qui nous avait été présentée. Je n'avais guère le temps de choisir. Je prenais donc tout ce qui me tombait sous la main, que les modèles fussent ou non à ma taille. Pierre m'aida. Il ramassait le plus possible, peu importât le style, ou même l'occasionnelle bizarrerie, ou la laideur d'un modèle. Les deux matronnes nous regardaient, éberluées. Elles n'en revenaient pas. On arriva presque à dépenser ainsi 9,000 de mes zloty. Quand aux autres, je les flambai dans une discothèque avec du champagne à flot, en compagnie de cet élégant pianiste que j'avais remarqué au concert de l'après-midi et qui m'avait remarquée lui aussi: la nuit fut remarquable. Après m'avoir fait danser, rire et boire, il retira ses gants blancs et me fit apprécier son merveilleux doigté... Pendant ce temps, Pierre Nolès dépensa ses cinq cents zloty en se noyant littéralement dans le champagne et le caviar.

C'est d'ailleurs lui, qui, le lendemain matin parvint à me réveiller vers sept heures. J'étais morte de fatigue, j'étais revenue à ma chambre à peine une heure avant, vers six heures, et je tombais de sommeil. J'étais encore saoûle, et toute alanguie par le tendre concert que le jeune pianiste venait de m'offrir. Et je riais, je riais sans pouvoir m'arrêter. Je riais de voir Pierre Nolès s'affairer avec diligence dans ma chambre, qui était dans un désordre indescriptible. Il essayait de tout ramasser le plus vite possible, et fourrait tout dans les valises qu'il avait peine à fermer. Et je le suivis, morte de sommeil et de rire...

Sopot fut le dernier éclat de ma carrière, l'ultime scintillement avant les ténèbres, avant la nuit, la longue nuit... Quand à ma vie conjugale, j'avais coupé les ponts avant mon départ pour Sopot. Pierre et moi n'avions pas encore divorcé mais j'avais déménagé mes pénates pour de bon. Le divorce, le divorce sordide, vint plus tard, avec ses tracasseries légales et ses humiliants déchirements devant ces étrangers que sont les juges et les avocats....

Si j'avais une idée
Je t'écrirais un poème
Tu te reconnaîtrais
Je t'aime, je t'aime...
Je suis un peu bête
Devant ma page vierge
Ma tête reste vide
Je regarde la neige...

Je sais qu'il y eut un jour
Où les mots couraient sous mon stylo bille

Ce dût être à l'époque de nos folles amours
De nos promenades à longs cours
Tu te souviens?... Cannes, St-Tropez
La Côte d'Azur en scooter
Nos balades au bord de la mer
Le matin, ou à Nice,
Nous avons rencontré Curt Jurgens à l'aréoport
Il nous avait signé un autographe dans mon passeport
Et ce petit paradis nommé Cassis
Nous étions comme des enfants...
Ayant le courage de bâtir
Ce que j'ai si bien su démolir...
Si j'avais une idée
Je t'écrirais un poème
Tu te reconnaîtrais
Je t'aime, je t'aime...
Je suis un peu bête
Devant ma page vierge
Je regarde la neige...

*

Par les carreaux de ma fenêtre
Je t'ai vu passer
Tu as traversé la clairière
Tu étais sombre à faire pleurer

Par les carreaux de ma fenêtre
Les carreaux givrés
J'ai senti ton regard clair
Qui essayait de m'éviter

Par les carreaux de ma fenêtre
Une larme a gelé
C'était pendant un mois d'hiver
Une bûche flambait dans la cheminée

Par les carreaux de ma fenêtre
Là où nous nous sommes aimés
J'ai revécu ce temps si beau
Quand ton corps réchauffait ma peau...

*

J'ai le coeur à vif des solitaires...
Pardonne mes griffes et mes guerres
Mes amours trop éphémères
Mes amours trop passagères

J'ai le coeur à vif des solitaires...
Garde les troupeaux et les terres
Je garderai mes craintes
Mes doutes et mes misères

J'ai le coeur à vif des solitaires...
Pardonne mes griffes et mes guerres
Oublie les rides que tu embrassais
Au coin de mes yeux quand tu m'endormais

J'ai le coeur à vif des solitaires...
La mer a beau être plus bruyante,
La voile plus gonflée,
Mon coeur est fermé à clé...

20 février 1974: Après jugement rendu
j'étais devenue...

«FEMME DIVORCEE»

Moi, la femme forte de l'évangile...
Avec mes nerfs d'acier
Ma tête de roche
Mes sentiments élastiques
Mes entrailles bénies
Mon coeur bonne pâte
Mon âme de verre

Je suis touchée
Pour qui?
Le juge l'a dit...
Une si petite chose et en même temps,
Une si grande chose: «Cet enfant que je lui ai donné...»

Je suis condamnée
Pourquoi?

Le juge l'a dit...
Cette maladie qui brûle le dedans
Et crache la larve au dehors... le temps est froid...

On m'a trahie...
Allons au prochain témoin!
Où est-il passé cet ami
Qui m'avait promis?...

On m'a jugée
Comment?
Le juge l'a dit...
Pour qui se prend l'homme,
Pour émettre un jugement en si peu de temps...?

On m'a salie
Le juge, lui
A approuvé...
J'ai pourtant connu les affres de l'enfer
Il me semble avoir droit de franchir les portes de la vie

Je n'ai plus rien à dire...
Le juge a assez dit...

«MYOPE»

Qu'il s'appelait le juge...

*

J'ai connu Pierre, j'ai connu Lou
L'un était tendre l'autre était doux
J'ai connu l'amour simple
J'ai connu l'amour fou
Je me souviens de Pierre
Je me souviens de Lou...

*

J'ai été émue à l'extrême
Deux fois dans ma vie en recevant des fleurs,

Et les deux fois, c'était de toi...

Mon tendre amour aux cheveux blonds
Je te disais que je t'aimais
Et puis j'aimais tout l'monde
Mais, que veux-tu
Je n'étais pas née
Que j'avais l'amour au ventre
Le coeur trop grand, trop réceptif
Ainsi que mes parfums, trop captifs

Mon tendre amour aux yeux d'enfant
Je te disais que je t'aimais
Et je courais le monde
Je recherchais
L'amour passionné
Quand tu m'offrais la tendresse
Je n'savais pas évaluer
La grandeur de toutes tes richesses

Mon tendre amour au sourire d'ange
Si tu voulais me revenir
Je panserais tes plaies
Avec douceur
Et je baiserais
L'amour que tu voudrais m'offrir
Le feu brûlera à nouveau
Nos coeurs avec force et ferveur

Je t'aimerai d'amour tendre
Je te sculpterai des montagnes
Faites à ta mesure
Je te créerai
Des flocons de neige
Si tu aimes les longs hivers
Je te creuserai un océan
Qui ne purifiera que les amants

En 1969, comme pour souligner le tournant qu'avait pris ma carrière, les journalistes me décernèrent le Prix Citron, attribué à l'artiste qui, pendant l'année, avait été le plus déplaisant avec eux. Mais comme je ne manquais pas de «couilles», je me rendis chercher mon fameux prix, et j'amusai tellement les journalistes qu'Huguette Proulx me glissa à l'oreille: «On aurait dû te donner le Prix Orange» — prix qui, lui, était décerné à l'artiste le plus gentil de l'année —.

Mais la bonne humeur et le sens de l'humour dont j'avais fait preuve avec les journalistes n'étaient plus chez moi monnaie courante. En fait, j'étais de plus en plus maussade, de plus en plus hargneuse, de plus en plus misanthrope même. Je m'enfermais des jours entiers, je refusais de voir mes amis, je restais seule, seule avec ma bouteille, avec ma tristesse... Je sombrais de plus en plus, j'approchais du fond de l'abîme... Et la nuit, progressivement, m'envahissait... Cette nuit que connaissent bien ceux qui ont bu, ceux qui ont trop bu: le black out. Ma mémoire se défaisait... En fait, lorsque j'essaie de me remémorer la période de ma vie qui s'étend de 1969 à 1974, j'éprouve des peines infinies... Hors de la nuit que fut ma vie en ce temps, ne surgissent que des «flashes»... Je retrouve aussi de vieilles coupures de journaux et des lettres oubliées qui m'aident à reconstituer mon triste passé... Je me rappelle vaguement qu'en 1969 le réalisateur Graham Woods de CBC Toronto avait entrepris de faire un «Spécial Ravel» pour la télévision... Je passai quinze jours en studio chez RCA, pour enregistrer la musique du film. Puis on tourna pendant quinze jours, un peu partout, dans le Vieux Montréal, à Dorval, à Deauville... Mais finalement, je n'ai jamais su pour quelle raison, ce film dont la réalisation avait coûté $100,000 ne fut jamais terminé... Et sans doute dort-il encore sur des tablettes à Radio-Canada... Peut-être l'exhumera-t-on quand viendra le temps de m'inhumer et de faire mon éloge... Eloge qui, si on l'avait fait à ce moment, eût sans doute été mensonger, ou s'il avait été sincère, fort triste, car mon état était de plus en plus lamentable...

On dit que l'oisiveté est la mère de tous les vices... Je ne sais si ce cliché est vrai pour tout le monde, mais je puis dire que, dans ma retraite, je ne cultivais pas la vertu, en tout cas pas la vertu ordinaire... Non contente de boire, je me mis à fumer, cigares, pot, hash, je pris même de l'acide... Longtemps, je cherchai le bonheur dans les paradis artificiels... Mais je n'y trouvai que des frissons passagers, illusoires, l'avant-goût d'un bonheur lointain qui me laissait dans la bouche une amère saveur de détresse...

Parfois, excédée par une trop longue solitude, j'invitais des amis à venir me tenir compagnie ou plutôt à trinquer avec moi... Mais mes sautes d'humeur étaient imprévisibles... Mes amis ne me reconnaissaient plus malgré toute l'amitié qu'ils avaient pour moi... Parfois, à propos de rien, pour un caprice, je les jetais à la porte... Sans autre forme de procès... Je bafouais des amitiés vieilles de plus de dix ans, des amitiés qui, pourtant, me tenaient à coeur... Je regrettais d'ailleurs souvent amèrement ma conduite... Je me haïssais, j'avais de plus en plus de peine à me supporter... Je m'enfermais de plus belle, je tirais les rideaux des fenêtres, je ne répondais plus au téléphone... J'étais à la dérive... La boisson, bientôt, ne me suffit plus, ni le pot ni le hash, j'étais avide de sensations plus fortes. Je m'ennuyais. Moi qui, auparavant, avait si rarement connu l'ennui, j'avais peine à supporter le fardeau des jours, le temps me paraissait long, infiniment long. J'étais vidée de mon être. Un jour que je m'ennuyais particulièrement, je me rappelai soudain l'état singulier d'euphorie que me procurait le demerol avant l'entrée en salle d'opération. Et j'eus la brusque nostalgie de cette «vie en rose», peut-être artificielle, provoquée de l'extérieur, mais rose quand même, et qui colorerait enfin mon existence grise. Je réussis à me procurer du demerol, et ce, suffisamment pour me piquer tous les jours. J'étais soulagée, j'étais enchantée, au sens fort du mot: je connaissais un enchantement, une sorte de féérie nouvelle. Mais l'enchantement ne dura pas, ou plutôt il ne me satisfit pas longtemps: je ne le trouvais pas assez puissant. Je me fis plusieurs injections par jour. Et le charme, à nouveau, agissait. Mais bientôt, la peur me prit, je réalisai que j'aimais beaucoup trop le demerol et, qu'au rythme où j'en étais rendue, avec cinq ou six injections par jour, en plus de mon quarante onces de gin quotidien, je m'en allais droit à la maison de désintoxication. Mon orgueil, dont il restait encore en moi quelques traces, n'aurait pu le supporter. Et ma volonté, considérablement diminuée, mais dont il restait également quelques traces en moi, me permit d'arrêter les injections de demerol. Mais cet arrêt laissa en moi un grand vide. Même, je me sentis désemparée. Le bonheur que m'avait procuré le demerol, même s'il avait été illusoire, me manquait.

Par désespoir, je résolus de voyager. Je partis pour l'Europe dans l'espoir de changer d'air, et surtout, comme on dit, de changer le mal de place. Dans ma naïveté, j'étais même allée jusqu'à croire que ce voyage me ferait cesser de boire, qu'il serait pour moi un remède miracle et inespéré. Mais mon mal me suivit en Europe, et ma détresse aussi. Car on a beau changer de décor, on ne change pas soi-même. Le mal est en nous. J'avais emporté avec moi mon problème.

Je tentai néanmoins de m'étourdir. J'essayai de vivre le plus intensément possible. Je partais quand même avec un certain soulagement. C'est que j'étais devenue incapable de rester en place. Et j'étais devenue incapable de supporter le décor de ma maison, mes meubles, mes souvenirs, mes trophées, mes disques d'or, qui me rappelaient cruellement que j'avais connu des saisons plus heureuses. Tous des objets qui étaient le signe extérieur de ma réussite, et me rappelaient que, si j'avais réussi dans la vie, je n'avais pas réussi ma vie.

Dans mes voyages, j'essayai de vibrer à nouveau au son de la musique de mon ancienne existence. J'aimai désespérément, j'aimai éperdument. Je m'abandonnai littéralement à l'amour, à mes passions, à mes instincts et aussi à mon coeur. Je connus de nombreux amours passagers, d'un mois, d'une semaine, parfois seulement d'une nuit. Parfois, pour pouvoir saluer, le matin, mon amant d'une nuit, je devais lui demander son nom. Je connus des amours si brefs que j'en ai perdu le souvenir. Il en est d'autres, cependant, que, même s'ils furent brefs, je ne pourrai jamais oublier tant ils furent intenses, tant ils furent doux.

Après avoir séjourné un mois en Belgique, chez mon ami Roger Leclerc, que j'avais retrouvé avec beaucoup de plaisir, je vécus un mois en Grèce, un mois inoubliable. Sur l'avion pour Bruxelles, j'avais rencontré Spiros, un jeune homme de dix-sept ans, qui m'avait invité chez lui en Grèce. C'est moitié chez son oncle à la mer moitié chez son père à la montagne que je passai mon séjour là-bàs. J'avais télégraphié à Spiros à la fin de mon voyage en Belgique et j'étais partie pour la Grèce sans attendre sa réponse. Pendant tout le voyage, je me torturai. Allait-il m'attendre à l'aéroport? Serait-il fidèle à l'espèce de promesse que nous nous étions faite en nous séparant un mois plus tôt? Il était là, magnifique, impatient de pouvoir enfin m'aimer, autant que je l'étais de pouvoir serrer contre ma poitrine sa belle tête bouclée. Ce fut paradisiaque. Avec son ardeur juvénile, Spiros me faisait retrouver mes vingt ans. Et puis, il y avait la Grèce, la Grèce avec sa mer superbe et son ciel d'une pureté si particulière, et qu'on ne rencontre nulle part ailleurs... Nous vivions dans une maison sous les arbres, des arbres bien particuliers, du moins pour une Québécoise habituée aux érables et aux sapins: des orangers et des citronniers... Nous mangions du fromage de chèvre on ne peut plus frais... La chèvre dont il provenait se promenait dans la cuisine, comme pour vérifier si nous honorions le produit de son lait... Nous faisions des promenades, interminablement, dans les prairies, dans les montagnes... Nous prenions des bains de soleil... Nous dansions le sirtaki, pieds nus dans le sable brûlant, au son de la merveilleuse musique grecque qui me transportait au septième ciel... Nous nous baignions... Nous nous aimions... Mais hélas, je n'avais pas perdu mon besoin de boire... Je buvais en me levant, une ou deux bières, en même temps que mon jus d'orange... Et je ne pouvais résister aux délicieuses boissons grecques qu'on nous servait si généreusement lorsque nous dansions...

Mais un matin, il me fallut partir... Car les voyages ne peuvent durer éternellement, hélas... Mon jeune ami ne pouvait me suivre... D'ailleurs, peut-être n'en avait-il pas l'intention. Néanmoins, nos adieux furent déchirants... Mais il fallait partir... Je garde de cet amour un souvenir d'autant plus exquis qu'il fut bref, intense, sans aucun temps mort... Si je conservais des regrets de partir, je me consolais en me disant que, si mon amour se fût prolongé, le temps l'eût sans doute étiolé. Je me consolais aussi en emportant avec moi des souvenirs exquis de soleil resplendissant, de mer si bleue, de danse et de si tendres nuits d'amour... Je n'ai jamais revu mon jeune ami et je ne sais évidemment pas s'il vit encore aujourd'hui. Mais si c'est le cas et si, par un hasard extraordinaire, il en vient à lire ce livre, je veux lui dire, en souvenir de notre amour: «Efaristo, teo sarapo.» Merci, je t'aime.

Je fis encore quelques spectacles: en 1971, un récital, au Centre Culturel Canadien, à Paris, puis un autre au Festival de Rennes, en Bretagne... Mais mon état empirait... J'étais de plus en plus désoeuvrée... Je lisais, je buvais, j'avais des crises de foie, des indigestions, mais surtout, je m'ennuyais... Je crevais d'ennui... Je cherchai d'autres amours, et j'en trouvai. Je connus Eric Kressmann, grand, bon, doux, généreux, spirituel, et surtout, patient... Car il eut la patience de supporter mes humeurs. Il eut aussi celle de s'occuper de moi. Il me prit en quelque sorte sous sa protection. Il s'efforça de modérer ma consommation prodigieuse d'alcool, de me faire manger plus normalement et dormir plus régulièrement. Il s'occupa aussi de ma vie professionnelle, me trouva des paroliers et des musiciens, me trouva même une compagnie de disques qui me permit d'enregistrer à Paris: «Indienne Ravel» qui, je dois l'avouer, ne fut pas mon plus brillant succès. Le disque marcha cependant assez bien en Belgique où je fis une tournée.

J'ai écris précédemment, que de 1969 à 1974, j'avais connu un black out entrecoupé de «flashes». Il y eut cependant un événement qui fut beaucoup plus qu'un flash, qui fut même un tournant de ma vie, et un tournant décisif. C'était à Paris en 1972, en octobre plus précisément. J'étais sur les Champs Elysées, lorsque soudain, je fus prise de faiblesse et presque incapable de continuer à avancer. Ma respiration devint extrêmement pénible. Je sentais que j'allais mourir. Je m'assis, accablée, à demi-morte. Je réussis cependant à me relever et à me traîner jusqu'à l'hôpital. La doctoresse qui me reçut et m'examina ne me trouva rien d'anormal et ne trouva rien d'autre à me dire, comme je me faisais insistante: «Si tous ceux qui croient avoir de la difficulté à respirer venaient nous déranger, on n'en finirait plus!» Je quittai donc l'hôpital, loin d'être rassurée par l'aimable diagnostic de la doctoresse... Mon mal étrange empira... J'étais incapable de sortir, je m'épuisais au moindre effort... Je dus bientôt garder le lit... Je ne pouvais plus rien absorber sans vomir... J'étais brûlante de fièvre, je fis jusqu'à quarante degrés centigrades. Deux médecins vinrent successivement m'examiner mais ne me trouvèrent rien de grave sinon une grippe qui était accompagnée d'une poussée de fièvre. Ils me recommandèrent simplement le repos. Je n'étais pas plus convaincue par les deux derniers diagnostics que par le premier. Je me mourais. Je désespérais. En trois semaines, je perdis trente livres. Je me ressaisis. Je sentis que si je me laissais aller au désespoir, j'en mourrais. Je résolus que, quoiqu'il advienne, j'irais crever au pays. Je téléphonai à ma «chum» Ghylaine Guy qui, par un heureux hasard, s'apprêtait à partir pour Montréal, et je lui dis: «Viens me chercher, je prends l'avion avec toi.» Elle accourut. Avant de partir, je téléphonai à mon médecin et le priai de m'attendre à Dorval. Il promit. Et il fut fidèle à sa promesse. Lorsque je le retrouvai, je lui expliquai que je ne savais pas quelle force m'avait tenue en vie pendant la traversée. Sans tarder, avec toute la diligence dont il était capable, il m'emmena à l'hôpital passer des radiographies. Il ne fut pas long à poser son diagnostic. Il me dit, bien doucement, bien calmement: «Ginette, assis-toi, j'ai quelque chose d'important à t'annoncer.» Je m'assis, le coeur palpitant, sentant que mon médecin allait m'annoncer quelque chose de non seulement important mais de grave, très grave. Et je ne m'étais pas trompée: mon intuition se confirma. Mais lorsqu'il m'apprit que j'étais tuberculeuse, le choc que je ressentis fut plus grand que celui que j'avais prévu. Et c'est à peine si je pus entendre la suite du diagnostic qui m'apprenait que mon poumon gauche en entier, le péricarde, l'aorte et une partie du poumon droit étaient atteints de tuberculose. Un vide immense s'abattit sur moi. Je vis une énorme trou noir en moi, quoique, en réalité, il s'agissait d'une énorme tache rouge. J'étais terrorisée, j'étais condamnée. Mon médecin, que je suppliai d'être franc avec moi, finit par me l'avouer, après de longues hésitations. Condamnée, mais avec une ultime chance peut-être, si j'acceptais de subir une opération qui, cependant, n'avait que très peu de probabilités de réussir. Mais ce «très peu» était pour moi énorme, il était tout, même, tout ce qui pouvait me sauver. Le 25 novembre 1972, on pratiqua donc sur moi un thoracotomie avec décortication pleurale. Après six heures sur la table d'opération, j'ouvris les yeux sur un curieux appareil qu'on appelle le ressuscitateur. Rescuscitateur, nom curieux, nom terrible, qui ne signifie pas seulement qui maintient en vie, mais qui arrache à la mort. Je ne sais si je défaillis au cours de l'opération et si le ressuscitateur dut remplir son rôle premier. Mais je sais qu'à mon réveil, c'est lui qui respirait pour moi, car il m'était impossible d'y arriver seule. On dit que lorsqu'on voit la mort de près, on revoit sa vie en entier, en l'espace de quelques instants. C'est vrai, et c'est étonnant, c'est saisissant. Mais à ce moment, j'affrontais la mort sans peur, en disant à Dieu: «Tu viens me chercher, mon passage sur la terre est terminé.» Je sentais aussi que j'avais raté ma vie, que, certes, j'avais été riche, célèbre, mais que rien de tout cela ne pouvait racheter mon échec, ma déchéance. Mais, en même temps, sans encore comprendre l'immortalité de l'âme ou la réincarnation, je sentais que j'aurais une chance de me reprendre de l'autre côté ou dans une autre vie.

Je suis restée longtemps aux soins intensifs, entre la vie et la mort, souffrant physiquement et, surtout, moralement, car j'étais accablée, profondément déprimée... A ma sortie de l'hôpital, mon médecin m'annonca que ma convalescence durerait quatre ans... Inutile de dire que si je venais d'échapper à la mort, cette nouvelle fit que je quittai l'hôpital la mort dans l'âme... C'était une nouvelle épreuve. Ce n'était pas la dernière. Car je dus bientôt affronter le monde, et surtout mes proches qui voulurent m'expatrier dans un sanatorium aux Etats-Unis. Au début, je fus assommée. La perspective d'être expatriée non seulement ne me souriait pas, mais m'affolait. J'étais désemparée. Renonçant à tout amour-propre, je pleurai toutes les larmes de mon corps en expliquant à mon médecin que si j'obéissais à mes proches, c'est-à-dire si j'acceptais l'exil aux Etats-Unis, mon moral ne tiendrait pas le coup et que, inévitablement, j'en mourrais. Je lui expliquai aussi que je tenais à mes Laurentides et à Deauville. Devant mon insistance et le désespoir de mes explications, il comprit que j'avais raison et alla convaincre mes proches de me laisser faire ce que bon me semblait. Ils obtempérèrent, me laissèrent même une liberté totale: ils m'abandonnèrent à moi-même.

J'avais évité l'exil physique, mais pas l'exil moral. Car à ma sortie de l'hôpital, je me retrouvai pour ainsi dire comme une véritable exilée parmi les miens. J'étais une artiste, une femme déchue. J'étais une «has been». Les amis que la seule gloire avaient attirés vers moi et qui m'avaient hypocritement adulée disparaissaient, comme par miracle. Mais la perte de la gloire a tout de même ceci de bon qu'elle permet de retrouver ses véritables amis: elle est comme un filtre qui ne retient que les pépites d'or et laisse passer le sable.

Selon mon souhait, je m'étais retrouvée dans les Laurentides, à deux pas de ma maison que j'avais été obligée de louer. J'habitais un petit appartement en forme de tour, en fait, une ancienne écurie transformée en habitation et qui s'appelle aujourd'hui Le Manoir de Deauville.

DU HAUT DE MA TOUR

Du haut de ma tour
Il fait froid, il me semble
C'est pourquoi mon coeur tremble
J'entends le vent en transe

Peut-être a-t-il froid comme j'ai froid
Peut-être a-t-il peur comme j'ai peur
Je sais qu'il giffle, qu'il griffe
Qu'il fouette tout sur son passage
Je sens ton absence...

Du haut de ma tour
Je suis seule il me semble
C'est pourquoi mon coeur tremble
J'entends les saules qui pleurent
Peut-être pleurent-ils sur moi?
Sur ma vie remplie d'effroi...
Et je dois traverser la rivière
Même si je risque de m'y noyer
Je sens ton absence...

*

Nos corps naissent sains
Nous les pourrissons nous-mêmes
J'ai vécu
Mais l'amour que j'ai connu
N'a pas eu la force de me tenir debout

La tête entre mes mains
Je crois que ma tour penche
J'ai le coeur si tendre
Que les fleurs en tremblent
De ma fenêtre la bise me les fait entendre

Le soir tombe, la mort vient
Si j'y suis encore demain
Auras-tu une heure
Une vie à me donner
La vie et l'amour, aujourd'hui pour moi meurent

MON COEUR PLEURE...

Les premières années de ma convalescence furent les années les plus dures de ma vie. Elles furent un véritable cauchemar, un véritable enfer. Je touchais le fond de l'abîme, le bas-fond. J'avais entièrement perdu la maîtrise de ma vie. J'étais considérablement affaiblie, et physiquement et moralement. Physiquement, j'avais tellement de difficulté à respirer que j'étais forcée de laisser la fenêtre ouverte au beau milieu de l'hiver, par des froids terribles. Si bien que ma chambre était glaciale et que, pour éviter de mourir gelée, je devais porter de gros chandails de laine, un foulard même et je devais passer le plus clair de mon temps emmitouflée dans mon sac de couchage en duvet. Et il me fallait littéralement vivre au ralenti. Je m'essoufflais au moindre effort. Je devais constamment m'accorder des pauses. Le lever m'était excessivement pénible. Le sommeil ne semblait pas avoir la vertu de me reposer. J'étais au réveil aussi faible qu'au coucher. Il me fallait parfois plus de deux heures pour me lever et faire ma toilette. Opération qui, auparavant, me prenait à peine une demi-heure. Moralement, malgré que je n'étais pas sans savoir que ma tuberculose avait été due en grande partie à mes excès d'alcool et au dérèglement de ma vie, je n'étais pas encore guérie de ma soif maladive, de ma faiblesse devant l'alcool.

LA MORT CREUSE

La mort creuse
Mon trou au cimetière
Tout tourne autour de moi
Les murs de ma prison se resserrent sur moi
La terre tourne
J'aimerais qu'elle soit ma mère
Je suis toujours dans mon lit

*

Je suis noire
Comme la vie qui m'entoure
Tout tourne autour de moi
Je me demande si je vivrai longtemps ici
Plus personne
Je suis seule à pleurer
Je suis toujours dans mon lit...

Je meurs d'amour, je pleure d'amour
Je me suicide l'âme
Demain je prends l'avion pour Acapulco
Je veux entendre les Mariachies
Qui me touchent le coeur

91

Avec leurs guitares, leurs violons et leurs trompettes
Je veux entendre les Mariachies
Avec leurs mélodies
Tristes à me fendre l'âme

Je n'attendrai pas de mourir
Avec mes pensées sombres
Demain je prends l'avion pour Acapulco
Je veux voir les Mariachies
Jouer les sérénades
Avec leurs sombreros et leurs habits de gala
Je veux entendre «Las Mananitas»
Cucurucucu
La Paloma

Je pleure d'amour, je meurs d'amour
Je me suiciderai l'âme
Si je n'prends l'avion pour ce pays chaud
Je deviendrai boulet à tes pieds
Ou si j'ai trop d'orgueil
Je rendrai l'âme tout court, sans tambours ni trompettes
Je n'entendrai plus les Mariachies
Je me rendrai
De l'autre côté
Là, où j'aurai tout à recommencer...

JE MEURS

J'ai les tripes en sang
L'âme déchirée
Je marche avec des béquilles
Un pan de ma robe s'effiche
Les phares des autos brillent
La lune effrayée s'éclipse
Mon ventre crie
Le vent me mord
Que tu me fouettes, je m'y attends

J'entends un bruit de mort
Qui sort de mes entrailles
Je continue de marcher dans la nuit

Je fuis le vent, la pluie, la vie
J'ai peur
Sur la route, les cailloux se taisent
Dans le ciel les étoiles paralysent

JE MEURS...

LEGS

Je lègue à mon époux bien-aimé
Mon chien, mes dettes et mon arbre fruitier
Je lègue à mon frère André
Les fleurs qui pourrissent dans le vase brisé
Je lègue à ma soeur Marie-Andrée
Mes chums, mes fards et mes costumes «hippies»
Je lègue à mon père Jean-Marie
C'qui reste dans ma bouteille de whisky

Je lègue à ma tante Donalda
Mes images, mes médailles pis ma croix
Je lègue à ma tante Géraldine
Mes chapeaux à plume, mes vieilles crinolines
Je lègue à mon neveu Alphonse
L'ennui, le remords qui me rongent
Je lègue à ma nièce Armanda
Tout c'que j'ai vu s'passer su'l'sofa

Je lègue à mon cousin Ti-Mé
Ma peau d'ours, mes raquettes, mon buggy
Je lègue à son frère le pédé
Les photos qu'son amant m'a données
Je lègue à toi qui m'a endurée
Le goût de l'amour et de la volupté
Je lège à ma belle-mère Bella
Son fils et pis tout c'qu'a voudra...

A ma sortie de l'hôpital mon médecin me conseilla: «Ginette, plutôt que de prendre un gin, prends plutôt une demi-bouteille de vin, si tu ne peux absolument pas t'en passer...» Cette permission qui n'était qu'une indulgente concession à ma faiblesse, m'avait réjouie considérablement. Au début, je me contentai de ma demi-bouteille. Au début seulement. Car si une personne ordinaire voit dans une bouteille entamée une bouteille à moitié vide, l'alcoolique y voit toujours une bouteille à moitié pleine. Et, au surplus, je n'aimais pas laisser les choses à moitié terminée. Si bien que bientôt la bouteille entière y passa. Et j'arrosai souvent cette bouteille avec quelques verres de gin. La leçon que j'avais eue n'avait pas suffit. Pourtant, j'étais bien consciente que je n'aurais probablement pas une deuxième chance. J'avais évité la mort de justesse, presque miraculeusement. Et j'étais considérablement «hypothéquée.» Mais ma soif était plus forte que tout. Pourtant, je savais qu'il n'y avait pas mille chemins ouverts qui s'ouvraient à moi comme à tout alcoolique qui persévère: l'hôpital psychiatrique ou la mort, que ce soit par le suicide, la crise cardiaque ou la cirrhose. Il y a aussi un autre chemin mais combien difficile: la sobriété. Mais la sobriété était pour moi un rêve inaccessible. Et boire me semblait mon seul refuge, mon dernier refuge pour échapper à l'ennui terrible qui me frappait, pour regarder la mort en face avec douceur, si on peut parler de douceur dans ce cas-là. Mais s'il était un remède, l'alcool était un mauvais remède, en tout cas un remède insuffisant. Car de façon de plus en plus constante, presque obsédante, je pensais au suicide. Près de mon lit, je gardais deux fusils de chasse toujours chargés qui étaient en quelque sorte mes gardes du corps: mauvais gardes en fait, car je n'avais pas l'intention de m'en servir pour me protéger mais pour me détruire. J'en étais tout naturellement venue à penser que seul le suicide pourrait me décharger de l'insupportable fardeau de vivre. Souvent, je m'éveillais au beau milieu de la nuit, comme somnambule et habitée par une volonté autre que la mienne qui me dictait de me tuer. Je me levais, péniblement, j'avançais dans les ténèbres, je cherchais mon fusil. Je me plaçais la pointe du canon sur la gorge, je posais mon doigt sur la gachette et j'attendais, j'attendais que l'une des deux volontés qui se disputaient en moi l'emportât sur l'autre. J'attendais souvent de longues minutes, le regard fixé sur ma main, et mon pouce posé sur la gachette. Et je tremblais, je devenais toute en sueur, malgré la froideur de la chambre. Mais toujours je renonçais au suicide. Toujours ma volonté de vivre était plus forte. Et, souvent, lorsque je reposais dans son coin mon fusil de chasse, je pleurais de désespoir, de rage, de détresse. Mais je songeais aussi que si je ne m'étais pas encore suicidée, c'était aussi en partie parce que survivait en moi un espoir. Un espoir certes très faible, mais tout de même un espoir. Un espoir dans une vie nouvelle, une renaissance lointaine, une sorte de miracle qui me sauverait du marasme dans lequel je vivais.

Je suis frêle comme le roseau au vent...
C'est mon dernier jour de printemps
La vie m'a prêté si peu de temps...
J'ai peur de mourir, j'ai peur de souffrir
Combien me reste-t-il de temps?
Je suis frêle comme le roseau au vent...

Je suis frêle comme la perle de rosée...
Qui, sur une feuille, s'est posée
Doucement la nuit l'a laissé tomber...
Le jour se lève, tout se réveille
Elle n'aura vécu qu'une veille
Je suis frêle comme une perle de rosée...

Je suis frêle comme le soleil couchant...
On voudrait le garder comme otage
Il se cache derrière l'océan...
Place à la pluie, place à la nuit
C'est la fin de mon premier voyage...
Je suis frêle comme le soleil couchant...

*

Tu connais là où j'habite?
La mort y était jadis...

J'ai la tête qui tourne, un tas de papillons se frôlent
L'un d'entre eux se perd et vient toucher ma corde sensible:
«L'AMITIÉ»

Pourquoi ai-je fait ceci à celui-là
Pourquoi ai-je fait cela à celui-ci
J'ai de la peine, j'ai peur
Je me retrouverai seule
Et pourtant, pour moi
L'amitié est une des choses les plus importantes de la vie
Je m'éveille, je pleure sur l'ami que j'ai égorgé la veille
Ce matin, il ne m'en veut pas
Il a mal à l'âme...

*

J'attends...
Quoi?... Je ne saurais dire...
Il existe sûrement quelqu'un ou quelque chose qui dans le
ventre de cette terre me nourrira... Y aura-t-il une force
supérieure autre que ma bouteille à laquelle je pourrai
m'accrocher aussi intensément... et que je puisse enfin
laisser couler les larmes que je retiens depuis si
longtemps... tranquillement... bien tranquillement... tout
                                        tranquillement...

                            *

Si je veux revivre, si je veux revivre à plein
Je dois aller tout droit, tout droit devant moi
Craindre ceux qui me plaignent ceux qui me saignent
Oublier leurs promesses, oublier leurs caresses...

L'amour est un pays que j'ai bien connu
La Bourgogne ou le Congo m'ont reconnue
L'amour m'a aimée, mais aujourd'hui, mon coeur s'étire
J'ai connu l'amour mais je crains le pire

J'ai eu la main méchante et parfois le coeur tendre
C'est troublant d'analyser l'odeur de ses années
Ce qu'on y trouve peut vous faire crier ou aimer
Mais ce qui vous reste n'est toujours que cendres

Si je veux poursuivre mon chemin et revivre
Je ne peux m'arrêter à côté des cyprès
L'horizon se réveille et le soleil paraît
Depuis combien d'années ai-je cessé de vivre?

Si je veux revivre, si je veux revivre à plein
Je dois aller tout droit, tout droit devant moi
Craindre ceux qui me plaignent
Ceux qui me saignent
Oublier leurs promesses
Oublier leurs caresses...

                            *

Je ne veux pas mourrir l'hiver...
Ça me semble si froid
L'été me paraît plus doux
Ce s'rait un meilleur rendez-vous

Je ne veux pas mourir l'hiver...
J'entends ce bruit qui fuit
J'ai dû perdre un ami
Pour moi, le monde est à l'envers

Je ne veux pas mourir l'hiver...
Qu'on m'accroche au pommier,
Que l'on tienne bien ma tige
Car nous serons deux à mourir

Je ne veux pas mourir l'hiver...
Suis trop seule pour avoir froid
Suis trop seule pour avoir mal
Garde-moi mon Dieu, même à l'envers...

*

En ton nom et au mien
Je regarde la pluie qui réveille les fleurs
Je transmets un message à l'ami qui se meurt
J'apprivoise la vie qui ravive mon coeur

En ton nom et au mien
Je façonne le nid de l'oiseau migrateur
Du soleil et des hommes je retiens la chaleur
Je pardonne à tous ceux qui nous montrent du doigt
Je remercie le ciel de m'aimer ici-bas

En ton nom et au mien
Je parlerai voyages à celui qui s'endort
Je chanterai l'amour à ce peuple qui mord
Je grandirai l'image du vieil homme soumis
J'inventerai des rêves tout plein de coloris

En ton nom et au mien
J'entendrai la musique du tonnerre qui gronde
J'adoucirai au mieux ce regard qui m'affronte
J'épellerai le nom du poète méconnu
Je calmerai l'angoisse de l'artiste déchu

En ton nom et au mien
A celui qui persiste, je demanderai l'heure
Je boirai à la source qui se nomme Bonheur

Pour les causes inconnues je brandirai fanion
Je goûterai la Paix en ton nom et au mien

Après ma première année de convalescence, je repris un peu de force. Assez pour espérer pouvoir arrêter de boire. Je me mis à marcher. C'était l'automne. La fraîcheur du temps s'y prêtait. Je partais par de beaux après-midi ensoleillés et je marchais. Je marchais souvent une quinzaine de milles pour ne pas prendre mon premier verre. Je comptais les feuilles mortes pour ne pas penser aux minutes qui s'écoulaient. Ce régime me réussit. Mais hélas, il ne me réussit pas longtemps. Je n'arrivai pas à «toffer» au-delà d'un mois. Et après, ce fut pire. Mon arrêt avait été comme un ressort que j'avais comprimé et qui, lorsqu'il se détendit, me projeta loin devant, ou plutôt, loin derrière... Très loin, et très bas... Je me remis à boire de plus belle, plus avidement, plus désespérément...

Ce fut le recommencement de l'enfer. Et cet enfer dura jusqu'au jour où j'abdiquai, où ma volonté renonça. Je me souviendrai toujours de ce moment. C'était la nuit. J'avais été incapable de dormir, je songeais encore au suicide lorsque je m'agenouillai dans mon lit et, les bras en croix, j'implorai Dieu. «Aide-moi, Dieu!» hurlai-je dans mon désespoir. Et, à partir de ce jour, ma vie se transforma enfin. Dans les ténèbres de mon existence, le soleil réapparut. La grâce de Dieu descendit sur moi. Son amour apaisa ma soif, ma soif qui me détruisait, ma soif que, pendant de si longues années, je n'avais jamais réussi à vaincre, mais qui, elle, m'avait vaincue, m'avait détruite.

TOI, JESUS, ON T'A CRU

La terre et la lumière
L'espérance et la foi
Mais toute cette misère
D'où vient-elle? Dis-moi...
Car Toi Jésus on t'a cru...

L'amour et l'abandon
Et le don de soi-même
Les sages ne prophétiseront
Que ce qu'ils savent eux-mêmes...
Mais Toi Jésus on t'a cru...

Qu'un coeur s'engloutisse
Dans le mal et le péché
Que les damnés pourrissent
Pendant l'éternité
Oui, Toi Jésus on t'a cru...

La femme et sa beauté
Chaque homme y perd son âme
Que devons-nous penser
Le ciel, l'enfer ou l'homme

Je mourrai pour y croire
Mais sur mon lit de mort
Je verrai bien mon âme
Qui se réalisera
Car, Toi Jésus je t'ai cru...

CONCLUSION

Je suis née sous un signe
Ignoré des Dieux et des Grands Vents
J'ai grandi sous le signe d'agressivité
Des ruisseaux de larmes m'ont inondée
La pluie tombait
Dès que la moindre flamme de mes amitiés se ravivait
Je me suis nourrie
De tout ce qui pourrissait le corps et l'esprit...

Mais j'ai redressé l'épaule
La tête haute
J'ai grimpé la Montée du Mont Sauvage
Je suis allée cueillir des fleurs près des marécages
Fleurs de Lotus, plumes d'oies sauvages
J'en ai épinglé mes ouvrages
Tapisseries à grands ramages
Papillons de toutes les couleurs
Appliqués sur toile de lin
Travaux tressés de daim
J'ai appris à écouter
Le gazouillis des hirondelles
Mes belles... qui font leurs nids
Ici, sur la poutre de ma maison
Cette maison que j'ai rebâtie

101

Avec mon ventre et mon esprit
Je ne marche plus à l'envers du beau
J'essaie de regarder plus haut
Je n'entends rien qui n'a aucune valeur
Je ne retiens que la bonne humeur
Que la lumière soit
Et la lumière fut...

Je veux te donner un bout de ma vie
Que tu puises à la source de mes émotions
T'offrir en cadeau
Ce que j'ai récolté de beau...

Je me dépose là...
Garde ce qui te va...

Depuis que j'ai découvert Dieu, que j'ai accepté de soumettre ma volonté à la sienne, d'avoir foi en Lui et en Sa Bonté Infinie, ma vie a été transformée. A bien des points de vue. Elle a pris un sens nouveau, et je devrais dire, elle a enfin pris un sens. J'ai dit au début que ma vie était un labyrinthe, un labyrinthe aux dédales inextricables ; et j'ai dit que j'avais enfin trouvé le fil d'Ariane, et ce fil d'Ariane, c'est Dieu. Dieu seul. C'est Lui qui m'a permis d'arrêter de boire, et ma sobriété fut le début de tout, elle fut ce sans quoi rien n'aurait pu se faire, car sans elle, de toute manière, j'allais à ma perte. J'ai eu beaucoup de raisons de boire. Je manquais de sécurité, j'étais instable. Et, bien que j'aie fait une carrière publique, j'étais timide, très timide. J'avais un grand besoin d'évasion, je me sentais souvent mal dans ma peau. J'ai également eu beaucoup de raisons d'arrêter de boire. Mais je n'ai pas eu d'autres moyens, j'entends de moyens définitifs, de cesser, si ce n'est Dieu. Dieu à qui je me sens très étroitement liée, comme à un ami fidèle et bienveillant, toujours présent. Dieu dont j'ai accepté la volonté et qui me guide. Dieu qui me permet d'être sobre au jour le jour, une journée à la fois. D'être sobre, moi qui étais impuissante devant l'alcool, moi qui étais esclave de ma bouteille. Certains me diront peut-être qu'en troquant Dieu pour ma bouteille, j'ai remplacé une béquille pour une autre. D'une certaine manière, ils ont peut-être raison. Mais je préfère une drogue positive à une drogue négative. La première appelle la vie, la seconde la mort.

Dieu, avec qui je me sens en harmonie, comme avec le monde. Dieu, cet être qu'on répugne parfois à appeler par son nom, qu'on préfère nommer Hasard, Etre Suprême, Intelligence Créatrice, Ame Universelle, Force Cosmique, Amour Infini, mais qui est toujours le même. Dieu dont je dis souvent qu'il est mon «chum», un «chum» avec qui je suis en ligne directe. Ma foi en lui et l'amour que je lui porte sont ma force nouvelle. La prière aussi. Prier Dieu, c'est téléphoner à son «chum» d'en-haut. En fait, maintenant que j'ai découvert la prière, je me surprends parfois, moi qui, auparavant, étais incapable de rester en place et qui devais m'étourdir constamment, je me surprends parfois, dis-je, à passer des heures, voire des journées entières, seule, à Deauville, à rêver, à prier et à méditer, à contempler la beauté et la grandeur du monde et de la vie. En fait, je ne connais plus la solitude, car la solitude véritable, c'est la haine, l'ennui, l'ennui qui, par définition, est l'intrusion de la haine en soi. Je ne suis plus jamais seule parce que j'aime Dieu, la vie, le monde. Je ne suis plus jamais seule parce que Dieu est en moi, parce que j'ai retrouvé la foi. Ce qui, je dois l'avouer, surprend parfois les gens qui m'aperçoivent au cours d'une méditation, par exemple, et qui ne peuvent s'empêcher de me demander: «Qu'est-ce que tu as, Ginette, ça ne va pas?» Je leur réponds simplement: «Je suis bien!»

Et c'est vrai, parce que je suis maintenant en harmonie avec la vie. Trop longtemps, j'ai été à contre-courant de la vie, je n'ai pas vécu d'une façon naturelle. Et j'en ai subi les terribles conséquences: car on ne va pas impunément à l'envers de la vie. La vie a ses lois qu'on peut enfreindre, mais non sans en subir le contre-coup.

Maintenant, j'ai remis ma vie entre les mains de Dieu. Je lui ai confié ma destinée. J'ai compris le sens de l'abnégation et de l'acceptation. Je souhaite que la volonté de Dieu soit faite. Dieu fait bien les choses. C'est lui qui, par exemple, m'a fait comprendre que mon fils Pascal, qui n'est plus à mes côtés, est à sa place là où il se trouve. C'est lui qui m'a fait comprendre que si je dois avoir un autre enfant, j'en aurai un. Mais, celui-là, j'essaierai de le garder auprès de moi, et je l'élèverai dans l'amour de la vie et dans la foi de Dieu. C'est lui qui m'a fait comprendre que si je dois me remarier un jour, il mettra sur ma route une personne qui voit le mariage comme moi, c'est-à-dire un peu tel que le décrit Khalil Gibran, dans son livre si beau: Le Prophète.

«LE MARIAGE»

Vous êtes nés ensemble et ensemble vous
                              resterez pour toujours.
Vous resterez ensemble quand les blanches
                    ailes de la mort disperseront vos jours.
Oui, vous serez ensemble jusque dans la
                              silencieuse mémoire de Dieu.
Mais qu'il y ait des espaces dans votre communion,
Et que les vents du ciel dansent entre vous.

Aimez-vous l'un l'autre, mais ne faites pas de
                              l'amour une entrave:
Qu'il soit plutôt une mer mouvante entre les
                              rivages de vos âmes.
Emplissez chacun la coupe de l'autre mais ne
                    buvez pas à une seule coupe.
Partagez votre pain mais ne mangez pas de la même miche.

Chantez et dansez ensemble et soyez joyeux,
                              mais demeurez chacun seul,
De même que les cordes d'un luth sont seules
                    cependant qu'elles vibrent de la même harmonie.

Donnez vos coeurs, mais non pas à la garde l'un de l'autre.
Car seule la main de la Vie peut contenir vos coeurs.
Et tenez-vous ensemble, mais pas trop proches non plus:
Car les piliers du temple s'érigent à distance,
Et le chêne et le cyprès ne croissent pas dans
                              l'ombre l'un de l'autre.

Khalil Gibran
Le Prophète
Casterman 1956

POUR MON PASCALOU

Tes yeux sont toujours aussi doux
La fossette au creux de ta joue
Rappelle un souvenir passé
Que j'avais presqu'oublié...

Tes cheveux, toujours aussi fous...
Ma main aime caresser ton cou
L'étoile que tu as dans la main
Grandit de matin en matin...

Tu m'embrasses, je me sens revivre
Si la tristesse ne franchit plus ma porte
C'est que toi, tu m'apportes
L'amour et la douceur de vivre...

Aujourd'hui c'est dimanche
Habille-toi de rires et de fleurs
Comme les amoureux, prends ma main
Partons et ne pensons plus à rien...

P.S. Je t'envoie une pensée
de protection tous les jours
et je suis certaine qu'elle
agit sur toi comme un chien de berger.

J'ai été une grande malade. Une grande malade qui, très longtemps, au lieu de se soigner, a tout fait, inconsciemment ou non, pour empirer sa maladie. Une malade qui avait besoin d'un médecin, d'un médecin qu'elle a été longtemps incapable de trouver. Mais qui a enfin trouvé Dieu, qui est le plus grand médecin, le médecin suprême. Et je souhaite à chacun de le découvrir, de découvrir Sa Vérité. Pour ma part, depuis que j'en ai fait la découverte, je me sens devenir petit à petit un être de «relation», c'est-à-dire un instrument entre les mains de Dieu. J'essaie de porter la bonne nouvelle. J'essaie aussi d'aider des gens qui sont encore comme j'ai longtemps été, qui ont encore les problèmes qui m'ont éprouvée: les alcooliques et les drogués. Et aussi tous ceux qui souffrent.

Un jour, je me souviens, en décembre 1974, je sentis par je ne sais quelle bizarre intuition, que mon ami Frank Dervieux se mourait. Il habitait à deux pas de chez moi. J'accourus. Je ne l'avais pas vu depuis longtemps et ma surprise fut grande en l'apercevant. Il n'était plus que l'ombre de ce qu'il avait déjà été: il était atteint d'un cancer généralisé et il était condamné, condamné à souffrir plus qu'à mourir car la mort tardait, et les souffrances qu'il devait endurer étaient de plus en plus cruelles. Lorsque je l'aperçus, je le pris dans mes bras et je lui dis: «Je suis simplement venue te dire que je t'aimais.»

Je voulais aussi lui dire, à lui qui était athée depuis toujours, que Dieu existait, que Dieu le délivrerait. Mais il était difficile à convaincre. Lorsque je rentrai chez moi, triste à mourir, et que je vis le lac tout blanc, je levai les bras au ciel et je priai en ces termes: «Mon Dieu, toi qui as fait un si grand miracle pour moi, guéris mon ami ou viens le chercher et surtout, surtout, fais qu'il croit en toi.» Et je jurai de lui faire sentir la présence de Dieu, de lui prouver son existence. Mais comment convaincre de l'amour et de la miséricorde de Dieu quelqu'un qui souffre si atrocement? Que répondre à quelqu'un qui ne cesse de demander: «Qu'ai-je fait pour tant souffrir?» Que répondre à quelqu'un qui, à mon encontre, ne croyait pas en la vie après la mort, en la réincarnation, en la loi du Karma? Pour ma part, j'étais et je suis encore persuadée que j'ai moi-même choisi de naître dans un milieu alcoolique et de souffrir le véritable enfer à travers mon alcoolisme, ma tuberculose, ma solitude et ma chute, parce que j'avais une dette à payer. On récolte ce qu'on a semé. Mais maintenant, j'ai payé ma facture. Mais comment faire comprendre ces choses à mon ami Frank qui était à l'article de la mort? Je m'en sentais incapable. Je fis donc appel à celui qui était le plus près de moi à cette époque et surtout qui était le plus apte à comprendre Frank puisque lui-même avait été athée pendant 49 ans et qu'il venait de découvrir la foi: Pierre Péladeau. Lorsque je lui proposai de venir rendre visite à mon ami, Pierre n'hésita pas une seconde.

Dès notre arrivée, Pierre raconta à Frank son histoire. Mais Frank persistait à dire qu'il ne croyait pas en Dieu, lorsque, soudain, Pierre eut la lumineuse idée de lui dire: «Mais Frank, Dieu est dans ta musique, dans la musique que tu composes, tu ne peux le nier!» Et Frank finit par acquiescer. Ce soir-là, lorsque je quittai Frank, j'étais emplie de gratitude envers Pierre et, aussi, envers mon Créateur. Quelques temps après, comme je m'étais éveillée en pleine nuit, je pris la tablette que je conservais toujours dans ma table de chevet et j'écrivis, saisie d'une inspiration soudaine: à Frank Dervieux. Le lendemain, j'appris que, pendant la nuit, Dieu avait exaucé ma prière. Frank avait cessé de souffrir, il n'était plus.

A FRANK DERVIEUX

A l'heure où je chantais la vie
Mourait un ami

Des buissons ardents
Monte une prière
C'est l'âme d'un ami
Qui meure, l'âme d'un frère
Pour l'accompagner
Le vent siffle des notes claires
Des notes en désaccord
Avec les larmes d'une mère

Mourir avec toi
M'aurait été doux
Cachée dans ton ombre
Ma main sur ton cou

A l'heure où je recouvre
La lumière
Tu es en partance
Pour un autre univers
Le silence de la nuit
M'ennuie
Je voudrais retourner
A la terre

Mourir avec toi
M'aurait été doux
Cachée dans ton ombre
Ma main sur ton cou

D'un seul coup une éclaboussure
A fait fondre la neige
Un ange est apparu
Et a tiré de l'aile
Te ramenant loin dans le ciel
Te présenter à l'ange Gabriel

Ma tête sur l'oreiller
Il m'est facile d'imaginer
Ton vrai «MOI» s'envoler
Pour l'éternité
Comme tu dois te sentir léger
Heureux d'être enfin libéré
De cette étrange et maléfique vermine
Qui te pourrissait le corps
Repose-toi mon Ami, dors...

Je garderai mains jointes à ton chevet
Et je prierai pour toi
Afin que tu reposes en paix...

P.S. Je me sens responsable de la mort
de mon ami.
Nous sommes tous responsables les
uns des autres.
C'est pourquoi,
je chante et
                              Je prie...

A PIERRE

Quand un orage gronde au-dessus de ma tête
Que je n'entends plus le moindre clapotis
Sur le lac ombrageux, qu'est celui de la vie
Quand il m'arrive tout ça, merci d'être là

Quand l'amour fait semblant de quitter ma porte
Qu'il me semble passer au rang des amours mortes
Quand j'entrevois la vie sur une note morose
Quand il m'arrive tout ça, merci d'être là

Quand mon oreille est sourde au plus beau chant d'oiseau
Et que mon coeur grelotte par les jours les plus chauds
Quand l'hirondelle s'en va tout au loin par le monde
Ne t'en va pas à ton tour, ne me quitte pas

Quand la lampe allumée a tendance à s'éteindre
Quand mes amis m'oublient ou ne peuvent plus m'atteindre
Quand l'horloge reste seule à pouvoir me parler
Quand il m'arrive tout ça, merci d'être là

Quand le nord devient le sud, que le sud devient le nord
Quand tout tourne dans ma tête, à un rythme plus fort
Raconte-moi la mer, le coeur des goélands
Raconte-moi tout ça, non, ne me quitte pas

Quand les bateaux repartent à destinée d'un port
Qu'ils avaient oublié le temps d'une amourette
Et que tu restes à quai, me prenant par la main
Parce que tu sais m'aimer, me montrer le chemin
MERCI D'ETRE LA...

MERCI D'ETRE MON AMI.

Je tourne le dos aux flammes de l'enfer
Et je marche vers l'est, vers le soleil levant
Je sais que le temps du purgatoire est révolu
Et ce que je vous raconte, c'est du solide, c'est du vécu
Aujourd'hui mes amis me sont fidèles
Ils ne me jugent pas, me prennent comme je suis
Je respecte mes amours
Je fuis ce qui n'est pas bon dans mes alentours

Je remercie Dieu d'illuminer ma vie
De m'aimer, de prendre de temps à autre le temps
De calmer les tempêtes qui s'élèvent en-dedans
Même si j'ai négligé d'accomplir ce que je devais faire
Aujourd'hui si je trouve la vie belle
C'est que j'ai pris le temps de vivre ma vie
Avec ses hauts et ses bas
Avec ses pleurs et ses grincements

Merci mon ami, pour ta visite d'après-midi
Sache que tu m'as réchauffée le coeur et l'esprit
Tu m'as appris que donner de son temps et de sa vie
Valait plus que tout au monde,
Merci pour cette amitié profonde
Je ramasserai les pommes de pin
Et je m'en réchaufferai jusqu'à ton retour
Je resterai installée ici
Mon âme est sensible à la nature et à la poésie
Merci encore une fois d'être mon ami...

J'ai connu un éveil spirituel. J'ai découvert des valeurs nouvelles que j'avais jusque-là méprisées ou méconnues. J'ai beaucoup souffert, j'ai traversé de nombreuses épreuves, des épreuves que, bien souvent, je me suis infligées moi-même. C'était mon enfer. Mais je sais maintenant que tout ce qui m'est arrivé, c'est «POUR DU PLUS». Je sais aussi que, sans ce qui m'est arrivé, je n'aurais peut-être pas retrouvé le sens de la vie spirituelle: la souffrance est un grand maître. Mais l'amour aussi, la vie aussi. Et surtout, Dieu.

J'ai fait table rase du passé. Ce qui est passé est passé. C'est aujourd'hui qui compte. J'essaie de bien vivre mon «aujourd'hui» sans me préoccuper du lendemain. Je dis bien sans me «préoccuper» et non pas sans m'occuper. Car je suis consciente qu'une action juste aujourd'hui me prépare un avenir juste. Comme les Esséniens, j'essaie de m'inspirer de la règle orientale qui dit: «Ne dire aucun mal, ne voir aucun mal et n'entendre aucun mal.»

Je travaille quotidiennement à mon bonheur. J'essaie, d'avoir une pensée contructive. Je m'efforce de voir le côté positif de la vie. Comme un philosophe fameux dont j'oublie le nom, je me dis: «Even if you woud know that tomorrow the world would be in ashes... go out and plant an apple tree.» Un proverbe chinois dit: «On ne peut pas empêcher les oiseaux de malheur de voler au-dessus de nos têtes, mais on peut les empêcher de faire leur nid dans nos cheveux...» C'est ce que je pense. Et je me dis: Si Dieu est avec moi, qui peut être contre moi? Quel oiseau de malheur peut venir faire son nid dans mes cheveux?

Dans mon éveil spirituel, j'ai découvert ce qu'était la richesse véritable. J'ai longtemps mené «Vie de château» à travers le monde, mais pendant ce temps, je démolissais mon être véritable, ma maison qui abrite l'Esprit. Alors que je réussissais dans la vie, ma vie échouait. Aujourd'hui, je connais l'abondance véritable, non pas celle que procure l'argent, mais l'abondance de l'amour, de la générosité, de l'amitié, de la foi. Une actrice américaine dont je ne me rappelle plus le nom, malgré sa grande célébrité, a dit un jour: «I have been rich and I have been poor. Rich is better.»

Sans doute parlait-elle par là de la richesse matérielle, de l'argent et de tout ce qu'il procure. Je suis d'accord avec elle, mais dans un sens seulement. Je ne rechercherais pas la pauvreté. Et je ne méprise pas l'argent, du moins celui qui est gagné honnêtement. Mais je m'aperçois aujourd'hui que si l'argent peut être une condition nécessaire au bonheur, — car il faut toujours un minimum vital — il n'est pas une condition suffisante. Car j'ai connu des années fastes et des années néfastes. Et je dois avouer que, dans des périodes de grande abondance, j'ai été malheureuse, profondément. Je me sentais dépossédée. Et, aujourd'hui, alors que mes moyens, sans être précaires, sont modestes, je connais la richesse véritable. Avant, j'avais du plaisir, du «fun», mais aujourd'hui, je suis heureuse et je peux comprendre la différence, qui est immense, entre le bonheur et le «fun». Avant, je m'émerveillais de la vente de mes disques, du nombre de spectateurs qui se pressaient pour venir me voir, de l'argent que j'amassais. Maintenant, j'ai découvert un autre genre d'émerveillement, beaucoup plus simple, beaucoup plus naturel. Je m'extasie devant les beautés de la nature, les montagnes, les lacs, la forêt. J'ai renoncé à mon ancienne soif de richesse, et aussi à ma soif de gloire. Je n'ai plus rien à prouver. J'essaie seulement de cultiver mon bonheur. J'ai découvert l'intériorité, la beauté de l'âme. Alors qu'avant je cultivais ma gloire, je cultive maintenant mon âme. J'essaie de m'épanouir le plus pleinement possible, de donner libre cours à toutes mes potentialités. Je chante toujours, mais j'écris également de plus en plus de chansons. J'écris des poèmes. Je peins. J'essaie aussi de corriger mes défauts, de me perfectionner. Moi qui ai touché aux bas-fonds, qui ai sombré dans des ténèbres toujours plus épaisses, je refais enfin surface, je retourne vers la Lumière d'Où je suis venue.

MON DECOR EST BEAU

Mon décor est beau
Rien n'y manque
Tout est vert espérance
Agrémenté d'or et de soleil
Une lampe antique bordée de franges
Un chandelier ancien éclaire un livre mystique
Quelques plantes exotiques
Une peau d'ours et de renard blanc
Je m'enivre d'encens
Une figurine mortuaire
Trouve ombrage sous le benjamina
Souvenirs d'Haiti, de Pologne ou de Paris
Tout est vraiment très joli
J'ai plein de masques africains
Des tuiles rares brillent dans mes salles de bains
Des colonnes de marbre de Carrarre
Des colonnes de coeur de merisier
Entourent une causeuse en daim
Un piano à queue trône
Au beau milieu de ma chambre à coucher
«LE GITE» est écrit sur le grillage de la cheminée
J'ai hérité du vieux rouet de ma grand-mère
C'est si grand que je peux me rouler par terre
Le patio donne sur le lac et les montagnes
Je suis bien située dans la campagne
Des conifères et des arbres fruitiers
Boisent mon domaine privé
Mon décor est beau
Rien n'y manque...

QUAND LES FRAICHEURS ARRIVERONT

Quand les fraîcheurs arriveront
Je n'voudrai plus revoir personne
Je retournerai dans mes bois
Je regagnerai ma terre

Quand les fraîcheurs arriveront
J'entendrai le cor qui résonne
L'appel des cerfs viendra vers moi
J'oublierai mes misères

Quand les fraîcheurs arriveront
Je suivrai les routes profondes
Des forêts toutes endimanchées
Je m'éloignerai du monde

Quand les fraîcheurs arriveront
Mon chien me suivra pas à pas
L'odeur des lièvres il sentira
Vers eux me mènera

Quand les fraîcheurs arriveront
Il n'y aura plus de mystère
Un hurlement, un bruit de pas
Un chant d'oiseau fera l'affaire

Quand les fraîcheurs arriveront
Oui, je regagnerai ma terre
Je serai bien, tout près de toi
Nous attendrons la neige...

*

Dans l'atelier du coeur
Pas un bruit, pas un visage
Aujourd'hui, je n'ai plus peur
Qu'on me ramène sous un nuage
Je n'ai plus peur
Tout est si clair, tout est si sage
Pas un bruit, pas un visage
Dans l'atelier du coeur

C'est bien loin le temps d'hier
Le temps d'un temps, le temps d'une heure
Où je me débattais sans cesse
Pour si peu, un courant d'air
C'est loin le temps de cette angoisse
Qui m'oppressait si fort le coeur

Le plus grand bien, le ciel y fasse
Pour aujourd'hui, c'est le bonheur

C'est bien loin le temps d'hier
Le temps molo, le temps solo
A ressasser les fautes passées
Pour aujourd'hui, c'est le temps beau
Est revenu le temps «plusieurs»
Et qu'on y chante, et qu'on y danse
Joue-moi de l'oeil, joue de la hanche
Pour aujourd'hui, j'ouvre mon coeur

*

C'est bien loin le temps d'hier
Le temps fini, le temps passé,
Qu'on me rappelle le présent
Cette heure d'amour que je déguste
Comme un fruit mûr à belles dents
Oui, que j'y croque, et que j'y goûte
Au temps amour, au temps aimé
Pour aujourd'hui, je veux chanter

Dans l'atelier du coeur
Pas un bruit, pas un visage
Aujourd'hui, je n'ai plus peur
Je n'ai plus de rancoeur
Je n'ai plus peur
Tout est si clair, tout est si sage
Pas un bruit, pas un visage
Dans l'atelier du coeur

Ne reste pas seul dans ton coin
Fais un pas pour aller plus loin
L'ami que tu ignores aujourd'hui
T'attends au coin, rue de la Vie

Déménage, ne reste pas en cage
Il faut savoir prendre le large
Vas-y brise tes barreaux
Il faut toujours monter plus haut

Nous avons tous besoin d'amour
Seuls avec nous-mêmes devient lourd
Avant que ne pousse l'aurore
Relève-toi, va chercher de l'or

Déménage ne reste pas en cage
Il faut savoir prendre le large
Vas-y brise tes barreaux
Il faut toujours monter plus haut

Prends courage réveille-toi
Et surtout, surtout n'oublie pas
Que tu dois être en harmonie
Avec le reste de la vie

Déménage ne reste pas en cage
Il faut savoir prendre le large
Vas-y brise tes barreaux
Il faut savoir monter plus haut

DEMENAGE

R.I.P.

En effeuillant la marguerite
Je me suis souvenue
Qu'il y a eu trois pianistes
Qui sont passés: «Ravel avenue»...

M'aimera-t-il ou ne m'aimera-t-il pas?
Sera-t-il à elle ou sera-t-il à moi

J'ai perdu mon âge
J'ai perdu mes chansons
A rester trop sage
Devant mes raisons
Que j'te crois, que j't'ignore
Que j'te veuille ou non
Le soleil se levait fort
Puis mourait à l'horizon

L'un des trois s'est construit
Une jolie maison
Elle était bien plantée
Près d'un jardin chinois

Le deuxième m'a offert
Sa maison moulin
J'avoue que j'ai souffert
D'ignorer ce matin

Et, Jackie...
Ne va pas croire que j'oublie
Nos folles nuits d'Haïti,
Ton clavier qui vibrait comme toi
Dès que tu y posais les doigts

L'un avait le regard clair
Limpide comme l'eau de source
Les cheveux blonds et longs
Retombaient sur son front...

Les yeux rieurs de l'autre
Masquait si bien son coeur
Que je n'ai pas su lire
La mort dans son sourire

Le troisième au regard sombre
Vivait les pires souffrances;
Celles qui demandent de l'endurance
Ou on creuse sa tombe...

L'extase qui m'habite
Me tiendra debout
Forte de vous,
Jusqu'à ce que vous décidiez
Que je dois quitter
Ces lieux
De la façon dont vous me choisirez

Glacialement, comme toi mon ami PAUL...

Sinueusement, comme toi mon ami FRANK...

Sinistrement, comme toi mon ami JACKIE...

Ou simplement de ma belle mort
Comme vous l'auriez souhaitée...

A PAUL,

De toute ma vie
Je n'ai qu'un seul regret
C'est d'n'avoir pas accepté, mon ami
Ce grand amour que tu m'offrais
La beauté de ton moulin
Le parfum de tes roses
L'immensité de tes vergers
La chaleur de tes étés
De toute ma vie
Je n'ai qu'un seul regret...
La vérité me faisait peur
Cette façon dont tes yeux brillaient...
Ton sourire un peu moqueur
Tes doigts, tout ça faisait
Que j'm'sentais toute chose en d'dans,
J'étais encore une enfant...
Je prie pour toi
Mon amour de l'Au-delà
Nous nous retrouverons
Des sentiments beaucoup plus grands
Nous unirons
Je t'aiderai
A tout recommencer
Ce que tu n'as pu supporter
Tout ce qui m'arrive de beau
Je te le dois
Cela me vient de toi
Tu te souviens de ce grand jour
Où j'ai chanté l'amour
C'était dans les pays de l'Est
Tu dirigeais le grand Orchestre
J'ai senti ta main prendre solidement la mienne
Merci de m'avoir mérité
Le prix tant désiré
Je regrette tant, mon coeur,
D'avoir osé te déranger
Ce fameux jour en Haïti
Tu n'as pu supporté mes pleurs...
Mais ne t'inquiète pas...

Oublie mes larmes, oublie mes peurs...
Je prie pour toi
Mon grand amour de l'Au-delà,
Tu peux compter sur moi
Tout cet amour que je t'envoie
Accepte-le comme un cadeau
Il te mènera toujours plus haut
Je t'aime

PRIERE POUR MON AMI FRANK DERVIEUX

N'entends-tu pas la plainte de mon ami
Mon Dieu, aie pitié de lui

Mon Dieu, si tu es mon Dieu
Réponds à cette prière
Souffle-lui un mot d'adieu
Afin qu'il quitte cette terre
En Paix, avec Toi
En Paix, avec le reste de son moi

Mon Dieu, si tu es mon Dieu
Reçois cette prière
Comme une offrande dernière
Garde-lui une place de choix
En Paix, au milieu de tous ses frères

Mon Dieu, si tu est mon Dieu
Exhausse cette prière
Rapproche la fin de son calvaire
N'a-t-il pas payé, mérité
La Paix en Toi
La Paix profonde qui nous vient de Toi

Mon Dieu, si tu es mon Dieu
Bénis cette prière
Je t'en prie, ferme-lui les yeux
Doucement sans un cri, donne lui
La Paix, de Toi
Cette Paix qu'il ne connaît pas

A JACKIE

Je ne sais pas si tu as vu
Le soleil briller ce jour-là
Je ne sais plus non plus
Si, de ton pays joli, tu as senti la neige et le froid
Mais moi, du haut de ma tour
Je n'ai jamais plus revu le jour...

Tu étais mon ami
Tu étais mon frère
Nous étions pris tous les deux du même mal
Nous étions innocents
Nous ne savions pas
Qu'aurions-nous donc pu faire
Pour nous entraider
Si ce n'est de continuer
A glisser la pente raide du destin
Nous buvions le rhum
Nous nous grisions de clérin
Je te parlais de musique
Tu me répondais de l'Au-delà
Comme si tu savais déjà
Que tu devais t'y retrouver avant moi
Tu étais mon ami
Tu étais mon frère
Tu t'appelais Jackie
Je t'aime encore aujourd'hui

Je ne sais pas si tu as vu
Le soleil briller ce jour-là
Je ne sais plus non plus
Si de ton pays joli, tu as senti la neige et le froid
Mais moi, du haut de ma tour
Je n'ai plus jamais revu le jour...

A 37 ans, je sens que je commence enfin à vivre. A vivre vraiment. Je sais que la vie est un perpétuel apprentissage. Je sais que je serai une éternelle étudiante. Et je suis avide d'apprendre. Je ne crois pas en la mort, je crois en la vie éternelle. Je dirai, comme le grand-père de Liv Ullman, Viggo Ullman: «Je crois en la Vie Eternelle parce que je la vis.» La seule mort qui existe, la mort véritable, c'est l'arrêt de l'évolution, de l'évolution de l'être vers la Lumière, vers Dieu. Le seul péché, c'est le péché contre l'Esprit.

Pour rester en contact avec la vie, avec la Vie Eternelle quotidiennement, je demande de l'humanité, de l'acceptation, la Force et le Courage de Dieu le Père, l'Amour et l'Action de Dieu le Fils, l'Intuition et l'Inspiration de l'Esprit Saint. Tous les jours, je prie le Seigneur de cultiver ma foi et je vois cette dernière s'épanouir telle une rose en moi. Je me rappelle que Dieu m'aime, connaît mes besoins et y pourvoit. Merci mon Dieu de m'aimer. (Je suis convaincue qu'il m'aime parce qu'il est Tout Amour). Je marche le plus souvent possible en pleine nature, je fais du yoga, je pratique la méditation transcendentale, et une méditation particulière qui porte sur la «Parole Quotidienne» d'«Unité Silencieuse». J'ai troqué les spiritueux pour le spirituel. Avec la force de Dieu, jour après jour, je reste sobre. Je bois de l'eau, dont j'ai découvert les vertus, qui sont mircaculeuses. S'il m'arrive de manquer de force je prends un verre d'eau et je demande à Dieu qu'il y mette toutes les énergies dont j'ai besoin. Si j'ai une décision importante à prendre, ou quelque chose de difficile à affronter, je fais une neuvaine, c'est-à-dire que je prends mon eau trois fois par jour pendant neuf jours, tout en demandant à Dieu de m'aider. Et les résultats sont surprenants. L'eau et la foi peuvent soulever les montagnes. Et je me souviens que la peur est le contraire de la foi.

Un matin, à 33 ans, je me suis posé la question suivante: «Ginette Ravel, qui es-tu?» Et j'ai senti un énorme vide en moi. J'étais incapable de trouver une réponse. Maintenant, de plus en plus je sais qui je suis. Et c'est la découverte la plus extraordinaire que j'aie jamais faite.

Je veux dire, en terminant, qu'il y a de l'espoir pour les alcooliques, pour les drogués.

Je veux dire aussi, que le bonheur existe, et que tout ce qui nous arrive est «POUR DU PLUS».

A toi que je ne connais pas mais qui maintenant me connais, mon frère, ma soeur, je te dis, simplement: Je t'aime.

album

Tout est pour du plus...

1

Restaurant "Spot-ligh Lunch". Derrière le comptoir: mon père et moi...

2

Ma soeur Claudette lors de sa première communion, avec une robe identique à la mienne...

3

À ma communion solennelle

Ma soeur Marie-Claude, mannequin

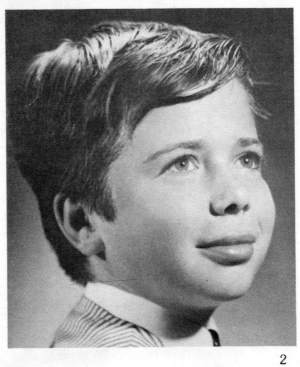

1 "Toto" — André Gingras
2 Mon frère Serge

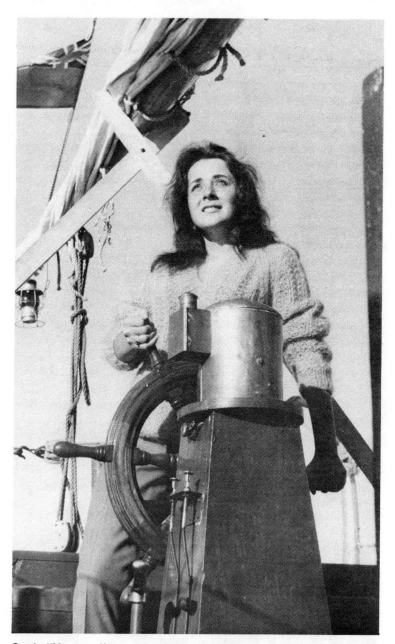

Sur le "Vautrour", le voilier de Paolo Noel avec qui je vivais le parfait amour.

Au "Club des Autographes" en novembre 68, Joel Denis et moi gagnons le concours de danse "Meringue". Paolo était la vedette du spectacle.

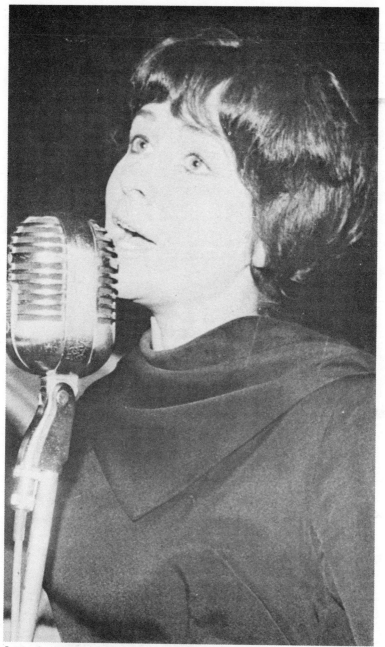

Lors de mon premier engagement à ''La Cave''.

Mon mariage avec Pierre Marcotte pour le meilleur ou pour le pire. Dans l'ordre habituel: Mme Gravel, moi, Pierre Marcotte, Mme Marcotte, Lucille, la soeur de Pierre, Claude Boulard et quelques amis intimes.

Barcelone 1963.

"À la Catalogne" en '64 avec Pierre Marcotte et le regretté Olivier Guimond qui, au moment de la photo, était probablement dans ses chaudrons.

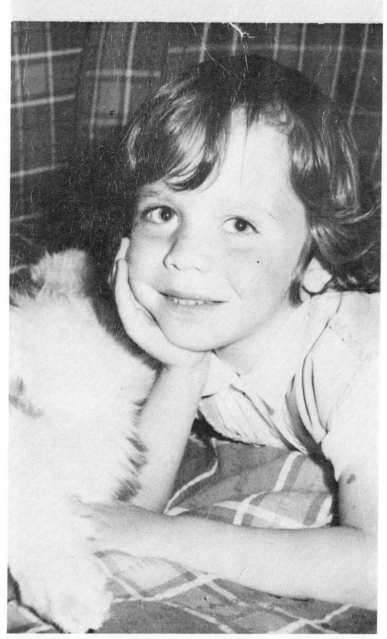

Mon fils Pascal à 5 ans

La Comédie canadienne en 1966 où je connais le sommet de ma carrière.

À Sopot, en 1968, avec Pierre Nolès comme chef d'orchestre, je remporte un prix avec "Je reviens chez nous".

Pendant les années difficiles, la tendresse de Louis Cournoyer me redonne de l'espoir... Merci Lou...

À Paris, au bord de la Seine… Cheveux au vent… C'est mon poster favori aujourd'hui.

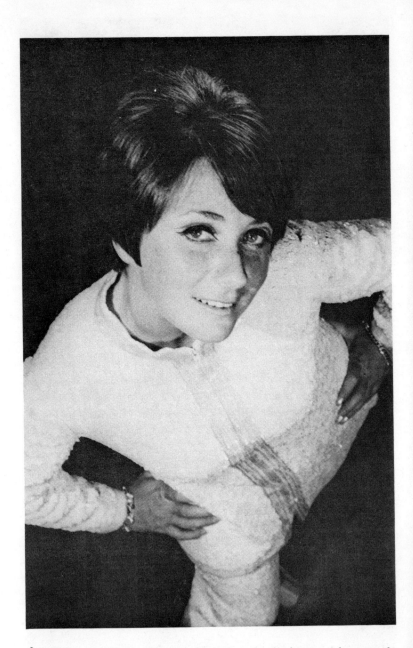

À la Place des Arts, au Théâtre Maisonneuve, le dernier éclat avant la longue nuit...

Je suis de nouveau sur pied… J'ai écrit: "Du sable dans ma voix" que
Marc Fortier met en musique… C'est mon premier 45 tours depuis ma
"renaissance"…

À Deauville avec mes chiens.

EDITIONS

Vous pouvez recevoir chez vous
les livres annoncés dans ces pages.
Remplissez et adressez ce coupon à:

FAX SERVICES, C.P. 188,
Succ. G, Montréal H2W 2M9

Je désire recevoir le(s) livre(s) suivant(s):

☐ **Vivez en santé, vivez heureux —**
Jean-Marc Brunet, n.d. - **$5.95**
☐ **Mes 82 jours de captivité** — *Charles Marion* - **$5.95**
☐ **La volonté de maigrir** —*Peter G. Lindner, m.d.* et
Gérard J. Léonard, m.d. - **$5.95**
☐ **Disque de relaxation - La volonté de maigrir** - **$5.00**
☐ **Paul Desormeaux, étudiant** — *Marc-André Poissant* - **$9.95**
☐ **Voyage dans l'inconscient** — *Jean Roussier* - **$7.95**

Nom. . . . .

Adresse . . . .

Ville/village . . . . Comté. . . . .

Code postal . . . . Tél.. . . . .

Ci-joint un chèque ☐   un mandat-poste ☐

au montant de $ . . . .

Portez à mon compte Chargex ☐   Master Charge ☐

No de votre carte. . . . .

Banque émettrice . . . .

Signature. . . . .

Quebecor

Vivez en santé, vivez heureux!
par Jean-Marc Brunet, n.d.
Au moment où les gouvernements s'engagent dans des campagnes d'éducation en matière de santé et que le naturisme est de plus en plus apprécié, le rôle que les naturopathes jouent comme premiers spécialistes des méthodes naturelles de santé est de toute première importance. Situé à l'avant-garde de ce mouvement, le docteur Brunet présente ici une sélection de ses chroniques quotidiennes parues dans le Journal de Montréal.

5.95

Mes 82 jours de captivité
par Charles Marion
Charles Marion raconte, dans un récit émouvant, ses 82 jours de captivité passés face à la mort, dans un trou noir, dans une dramatique solitude interrompue parfois par la venue de ses geôliers, dans une angoisse effrayante chaque fois que la trappe s'ouvrait... Allait-on lui donner de nouvelles provisions pour prolonger son enfer, ou allait-on lui ôter le droit de vivre?

5.95

Quebecor

Paul Desormeaux, étudiant
par Marc-André Poissant
Issu de la première génération des C.E.G.E.P., l'auteur a tracé un portrait bouleversant de la vie étudiante ... des étudiants qui s'éveillent à l'amour ... qui s'endorment aux sons de la musique "pop" ... qui rêvent de paradis artificiels. Marc-André Poissant décrit avec talent cet univers inconnu des parents et des futurs cégépiens.
"On découvre la finesse d'un tempérament d'écrivain qui naît."
Marie-Claire Blais
9.95

Voyage dans l'inconscient
par Jean Roussier
Jean Roussier, animateur radiophonique à Montréal, a donné un élan nouveau à la parapsychologie par ses nombreuses conférences et expériences faites tant au Canada qu'à l'étranger. Dans son livre "Voyage dans l'inconscient, Jean Roussier nous invite à participer à ses fascinantes expériences de régression dans le temps.
7.95

■ Quebecor ■